D1632404

L'ANGE AFFAMÉ

DU MÊME AUTEUR

MÉMOIRES DU DIABLE
(éditions Stock, 1976)

ROGER VADIM

L'ANGE AFFAMÉ

roman

ÉDITIONS ROBERT LAFFONT
PARIS

Si vous désirez être tenu au courant des publications de l'éditeur de cet ouvrage, il vous suffit d'adresser votre carte de visite aux Éditions Robert Laffont, Service « Bulletin », 6, place Saint-Sulpice, 75279 Paris Cedex 06. Vous recevrez régulièrement, et sans aucun engagement de votre part, leur bulletin illustré où, chaque mois, sont présentées toutes les nouveautés que vous trouverez chez votre libraire.

1

La fin du monde,
ça s'arrose

I

Les murs peut-être se souvenaient.

Se souvenaient des peurs, des espoirs, des ambitions de filles et de garçons dont les noms avaient donné au théâtre, depuis vingt ans, plus d'un titre de noblesse. Le cours d'art dramatique Charles-Dullin, situé dans les combles du Sarah-Bernhardt, était poussiéreux, inconfortable et de dimensions modestes.

En cet après-midi d'août 1944, six élèves répétaient une pièce d'Anouilh. La chaleur étouffante ne semblait pas affecter Sophie Ségur qui mettait en scène ses camarades. La jeune fille frappa du poing avec énergie le manuscrit de *Lécocadia* qu'elle tenait ouvert au début du cinquième tableau.

— Non !... « Dates fixes » ! Pas « horaires fixes ». La duchesse fait allusion à l'ouverture de la chasse, pas au départ des trains.

Un jeune garçon assis sur le bord du plateau lilliputien ricana bruyamment. Sophie se tourna vers lui.

— Serait-ce trop vous demander, M. Versois, de ranger votre carcasse au dernier rang du cours ?

Quand j'aurai besoin d'un bruiteur, je vous convoquerai.

Julien Versois déplia son corps élancé d'adolescent et se dirigea vers le fond de la classe, grommelant à mi-voix. Au passage, Sophie décoda quelques sons : il était question « de ne jamais contrarier un génie dans l'exercice de sa fonction ».

Il s'allongea sur le banc le plus éloigné, observant Sophie.

— Tu n'y es pas, Marie, disait-elle. Tu te jettes sur ton texte comme un malheureux qui n'a pas mangé depuis trois jours se jette sur un plat de haricots. Il ne s'agit pas de battre un record de vitesse, nom d'un chien ! Il s'agit de sentir. De penser, de sentir et ensuite de vivre la situation. A ton avis, qu'est-ce que c'est, un acteur ?

Marie hésitait. Elle avait une bonne frimousse, mais n'irradiait pas l'intelligence. Au fond de la pièce, Julien leva un doigt.

— M'dame, moi je sais... « Une actrice, c'est un peu plus qu'une femme, un acteur, c'est un peu moins qu'un homme. »

— Une citation de votre cru ? demanda Sophie.

— Non. C'est d'Oscar Wilde.

— Merci de votre aide. Pouvons-nous poursuivre la répétition, M. Versois ? (Sophie se tourna vers Marie :) Je n'ai pas cru une seconde que tu étais endormie. Ne pense pas à ta réplique... Amanda se réveille, elle reconnaît la duchesse, ensuite seulement les mots lui viennent.

Personne ne remarqua Julien qui ouvrait un sac de femme en rayonne (imitation cuir) posé sur le banc, près de lui. Avec des précautions de Sioux, il en extirpa un sandwich enveloppé de papier journal. Tout en mordant le pain grisâtre qui ne gâtait pas son appétit, il parcourait d'un œil distrait l'article en partie déchiré qui donnait des nouvelles du front. Les Américains étaient maintenant à six kilomètres au nord du Bourget. Les yeux de Julien passèrent des caractères d'imprimerie au derrière de Marie, couvert de poussière grise, qui semblait animé d'une vie propre. « Tout à fait indépendant, ce petit cul, pensa Julien. Il a toujours l'air de vous faire de l'œil. » Et il troussa mentalement Marie jusqu'à la taille.

Sans être anormalement obsédé, pour son âge, des choses du sexe, il rêvait, le jour, de corps nus de femmes et il y repensait la nuit. Un jeu qui devenait parfois presque douloureux. Il avait découvert, deux semaines plus tôt, chez un bouquiniste, rue Legendre, un livre de Paul-Louis Courrier sur les camps de nudistes en Allemagne, avant la guerre. Il l'avait volé pour les photographies. « Le sexe, ce n'est pas si important... Je ne pense qu'à ça, c'est tout. » Et Julien rigolait doucement. Il aimait se taquiner, se mettre en boîte. « Le cul marrant de Marie », comme il l'avait secrètement baptisé, l'inspirait très précisément, mais c'était Sophie qui le troublait. Il la voulait. Il désirait en prendre possession. Comment ? Il ne le savait pas. Il la voulait tout entière. « A regarder, à manger, à lécher, à dormir, à jouer, à toucher, à parler, à respirer, à investir, à caresser. » Parler à Sophie, avec Sophie, était pour Julien un acte physique. Les mots, entre eux, étaient des entités matérielles. « On ne se gargarise pas de mots, pensait Julien, on se touche de mots. » Toucher était le verbe : plus qu'une caresse, moins qu'une étreinte. « Tout à l'heure, je

11

l'embrasse », décida-t-il soudain. Julien qui avait montré à de nombreuses reprises, durant cinq années d'Occupation, un courage rare pour un jeune garçon et parfois un culot incroyable, Julien que ni Dieu, ni soldats, ni autorité d'aucune sorte n'impressionnaient outre mesure, restait timide avec les femmes — ou les fillettes — passé le « mur du flirt ». Une autre de ses expressions secrètes. Il n'avait pas peur des femmes mais les respectait profondément, sans d'ailleurs en être très conscient. « Je n'ai rien à me prouver, pensait-il. C'est une bonne chose. Mais de bonne chose en bonne chose, je vais finir vieille fille. » Il s'amusa à cette idée. « Si jeune et déjà vieille fille... »

Sophie était de quatre ans son aînée. A l'âge de Julien, une pareille différence crée souvent un fossé difficile à franchir. Mais il semblait au garçon, paradoxalement, qu'il connaissait mieux la vie que sa camarade de cours. Il se sentait riche d'expériences passées et d'expériences à venir. Il savait qu'elle n'en était plus à son premier amant, mais la devinait fragile sous une armure étincelante d'énergie et d'entrain. Pour une raison qu'il ignorait et ne cherchait d'ailleurs pas à analyser, il était convaincu que Sophie avait davantage à apprendre de lui qu'il n'apprendrait d'elle. Sophie semblait courir après la vie comme si, pour une mystérieuse raison, l'eau de la rivière allait s'évaporer et le berceau soudain aride, craquer à la chaleur d'un été trop rude. Qu'avait-elle dit à Marie tout à l'heure ? « Tu te jettes sur ton texte comme un malheureux qui n'a rien mangé depuis trois jours se jette sur un plat de haricots. » Sophie se jetait sur la vie avec la même fringale. « De quoi donc a-t-elle si peur ? » se demandait Julien. Elle voulait tout : être actrice, danseuse, prenait en charge ses camarades et décidait de mettre en scène le spectacle de fin d'année ; elle écrivait de courts fabliaux qui ne faisaient rire que les élèves et désolaient Charles Dullin. Mais cet homme de passion respectait trop le feu sacré pour la décourager.

— Le prince joue à vivre dans un miroir, disait Sophie. Il croit que ses émotions, ses peines, ses bonheurs, appartiennent à la morte. A l'image de la morte. C'est une réplique clé, Jeanine : « Elle est très forte, mon enfant, mais pas plus forte que vous. Et, de vous à moi, elle a un immense défaut pour une jeune femme : elle est morte. »

Julien écoutait. Quelque chose d'étrange se produisait. Il avait froid. Un froid venu de l'intérieur. Mystérieux, tel un phare dans la brume. Les mots prononcés par Sophie résonnaient à ses oreilles, arrivaient d'un futur effrayant. Il avait déjà, à plusieurs reprises dans sa vie, subi cette épreuve : un signe qui vient de l'après, de ce qui n'est pas encore vécu et déjà consommé. Il avait peur. Il fallait qu'il bouge, qu'il crie. Il restait engourdi. Une image s'imposa. Il avait treize ans : toute la nuit, la neige s'était amassée autour de la ferme savoyarde accrochée à flanc de montagne entre la forêt immaculée, blanche et silencieuse, et le torrent muet saisi par les glaces. Le froid était si vif même dans la chambre, même dans le lit, que la bouillotte portée par sa mère, la veille au soir, avait gelé au fond des draps. En boule sous les couvertures, il gardait, en avare, sa propre chaleur. Cette chaleur, c'était la vie. Sa vie. « Elle est morte... » Pourquoi ces mots déclamés par Sophie l'avaient-ils atteint comme un poignard ? Un poignard imaginaire, tel le fusil de chasse que Jeanine prétendait trimbaler en scène.

Les rapports entre Sophie et Julien ne justifiaient pas cette violente réaction. Ils se plaisaient, certes, s'estimaient, mais l'un autant que l'autre eût été fort surpris, et même amusé, si quelqu'un avait dit qu'ils étaient amoureux. Sophie se croyait attendrie par le jeune garçon, séduite par son talent d'acteur, son insolence devant la vie et son tempérament imprévisible teinté d'anarchie. Physiquement, il l'attirait. Elle aimait son allure de jeune loup des steppes un peu affamé. Mais amoureuse, non ! A seize ans un homme est encore un bébé, pensait-elle. Julien ne savait pas exactement ce qu'il éprouvait pour Sophie. Il partageait son sens de l'humour, la désirait physiquement mais son excès d'énergie l'ennuyait. Un détail cependant aurait dû les aider à deviner que leur attachement mutuel était plus sérieux, plus profond qu'ils ne se l'avouaient. S'ils ne se voyaient d'un jour ou deux, quelque chose leur manquait. Ils inventaient aussitôt une raison logique pour se rencontrer. En ce cas, comme d'ailleurs en toute occasion, l'imagination ne leur faisait jamais défaut.

Le grondement des moteurs d'une escadrille de chasse, rasant les toits de Paris, sortit Julien de son état de transe. Sur scène, c'était la débandade. On courait vers l'escalier de fer qui donnait sur le toit. Paris n'était libéré que depuis trois jours et l'ivresse euphorique d'une ville entière n'avait pas cédé d'un degré. Sur les plaques de plomb du théâtre Sarah-Bernhardt (il venait de retrouver son nom — durant l'Occupation il s'était appelé Théâtre de la Cité), les élèves criaient, battaient des mains, riaient. Marie s'était défaite de sa jupe qu'elle agitait comme un étendard à l'intention des pilotes. L'un d'eux rendit le salut d'une glissade des ailes. Au comble de la joie, Marie se lança dans une audacieuse série d'entrechats. Mais elle n'avait pas l'aplomb d'un chamois. Elle dérapa, se retrouva sur le dos et, ne trouvant aucune prise où s'accrocher, aurait terminé sa variation dans la gouttière du théâtre si Julien ne l'avait saisie au passage par les cheveux. Elle resta, un instant, pantelante dans ses bras, puis se redressa. Il l'aida à remettre sa jupe.

Sophie observait la scène en silence.

Il n'était plus question de poursuivre la répétition. Rendez-vous fut pris pour le lendemain après le cours de Dullin. Sophie rangeait son manuscrit quand elle remarqua la disparition du sandwich.

— Qui m'a volé mon sandwich ?

En posant la question, elle fixait Julien. Il répondit à l'accusation muette par son sourire le plus désarmant.

— Il y a un salaud dans cette pièce qui ne l'emportera pas au paradis ! explosa Sophie.

Elle referma son sac.

La salle où Charles Dullin donnait ses cours se trouvait au dernier étage. Pour gagner la rue, il fallait passer par un dédale d'escaliers et de couloirs mystérieux, à peine éclairés. Les murs lépreux qui n'avaient pas été repeints en un siècle servaient d'alcôve aux idylles. Là s'étaient échangés des premiers baisers et plus d'une ingénue y avait perdu sa virginité. Le décor n'était pas spécialement romantique mais, pour ces garçons et ces filles habités de la passion du théâtre, il valait toutes les Riviera du monde.

L'ange affamé

Le dos appuyé sur une porte en fer où l'on pouvait encore déchiffrer ces mots : DÉFENSE D'ENTRER - PLATEAU, Julien attendait Sophie. Il reconnut son pas avant qu'elle n'apparaisse dans la lumière douteuse de l'unique ampoule accrochée au plafond. Il vit qu'elle était toujours fâchée, ou du moins le prétendait. Elle passa sans lui jeter un regard. A la dernière seconde, l'inspiration lui vint. Il se mit à déclamer la tirade d'Harpagon, dans L'*Avare,* imitant Charles Dullin : « Au voleur ! Au voleur ! A l'assassin ! Au meurtrier !... Justice, juste ciel, je suis assassiné !... » La performance de Julien valait bien un sandwich. Sophie se retourna et finit par éclater de rire.

— Tu es décidément meilleur dans la comédie qu'en jeune premier romantique.

— Tout à fait d'accord, dit Julien en s'approchant de la jeune fille. Faire rire sur scène et souffrir dans la vie, c'est ma devise. J'ai une question...

Sophie attendait. Elle se méfiait des questions de Julien.

— Es-tu d'avis que la franchise est la plus belle des qualités ?

Silence de Sophie.

— Si je te prouve sans équivoque que je suis d'une franchise à faire dresser les cheveux sur la tête d'une sainte, est-ce que tu m'embrasseras ?

— Quel genre de baiser ?

— Le genre à faire dresser les cheveux sur la tête de Casanova.

— D'accord.

— C'est moi qui ai volé ton sandwich.

— Et pour te récompenser, je dois t'embrasser ?

— J'ai des circonstances atténuantes. Ta tirade sur

16

le gars affamé et le plat de haricots m'avait ouvert l'appétit.

— Moi aussi, j'ai faim.

— Je demande pardon. Je fais contrition. Je regrette mon acte irréfléchi.

— C'est beau, mais dans mon état d'esprit actuel, je trouve que ça manque de protéines.

— Mais pas de grandeur.

Elle sourit.

— Viens plus près. Prends-moi par la taille. A deux mains. Bien. Entrouvre la bouche. Regarde-moi avec feu. Je veux lire la passion, le désir, la soumission et la folie dans tes yeux.

— Comme d'Artagnan ?

— Non. Comme le prince Mishkine.

— Perdican, ça irait ?

Sophie attrapa Julien par les cheveux et posa ses lèvres sur la bouche entrouverte du garçon. Le jeu ne dura pas. Ils ne s'attendaient ni l'un ni l'autre à la vague de plaisir qui déferla sur eux, en traître. Ils auraient sans doute fait l'amour, debout contre le mur écaillé, impatients, éblouis, si quelque électricien, quittant le plateau, n'avait ouvert la porte en fer.

— Misérable coup du sort ! murmura Julien à l'oreille de Sophie.

— Peut-être pas, répondit-elle avec un demi-sourire qui était une promesse.

— Je t'invite à dîner, dit Julien.

— Où ?

— Dans la rue, d'un cornet de frites au saindoux ranci.

— C'est de la folie ! Je ne peux pas accepter.

— Mais si. Rien n'est trop beau pour toi. Pour le

dessert, nous taperons un G.I. d'une barre de chocolat.

Le théâtre était aussi dans la rue. Depuis l'entrée des chars de Leclerc dans la capitale, l'allégresse n'avait pas démobilisé. Les Parisiens portaient leur joie comme un uniforme. Toute une ville respirait, s'enivrait de vins et de liberté.

Sophie marchait au bras de Julien. Elle rayonnait.

— C'est comme de naître, disait-elle. Mais sans la fessée du docteur pour pleurer. Ce soir, j'aime tout. Même toi.

Et elle l'embrassait. Les passants qui, d'ordinaire, jalousent les amoureux et prétendent les ignorer, applaudissaient. Un soldat américain s'arrêta devant Sophie.

— Et moi !

Sans hésiter elle l'embrassa.

Quelques pas plus loin, Julien lui dit :

— Tu ne lui as pas demandé de chocolat ?

— Jamais quand on embrasse. Ça fait putain.

Elle aborda un autre soldat.

— Chocolat, *Captain* ?

L'Américain, un sergent, éclata de rire. Il n'avait pas de chocolat mais lui donna un paquet de chewing-gum. Julien, tout en marchant, tendait la main. Sophie secoua la tête, indiquant qu'elle ne voulait pas partager.

— Rancunière et radine, dit Julien.

Sophie avala une autre tablette qu'elle mastiqua quelques secondes, embrassa Julien sans interrompre leur promenade et poussa de la langue, dans sa bouche, le chewing-gum encore sucré.

Tandis qu'ils mangeaient leurs frites, assis sur le banc d'un arrêt d'autobus, Julien observait Sophie qui suçait ses doigts tachés de saindoux, comme une enfant gourmande l'aurait fait d'une sucette à la cerise. A nouveau, ce plaisir frénétique de vivre, cette intensité qu'elle mettait aux actions les plus banales, frappa Julien. Une angoisse diffuse, qu'il ne parvenait pas à cerner, gâchait son plaisir. Ce sentiment ne dura pas. L'ambiance de bonheur qui régnait sur la ville était trop contagieuse.

— D'où sors-tu tes sous ? demanda brusquement Sophie.

— J'ai piqué 20 francs dans le sac de ma grand-mère.

— Tu n'as vraiment aucun sens moral, dit Sophie presque sérieuse.

— Si. Mais je ne sais pas encore m'en servir.

— Tu sais te servir dans le sac des autres.

— C'est la guerre, dit Julien. On fait ce qu'on peut.

— Non !

Sophie s'était dressée comme un ressort, envoyant promener au vent le cornet de papier gras.

— La guerre est finie ! Elle répéta plusieurs fois, criant à tue-tête : « La guerre est finie ! »

— Pas encore, dit Julien.

Il regretta aussitôt sa phrase.

Le père de Sophie, évadé d'un stalag allemand, avait rejoint les forces alliées et, depuis deux ans, il n'avait pas donné signe de vie. Toute la journée du 26 août, Sophie avait couru les rues dans l'espoir de découvrir son père au volant d'une jeep ou sur la tourelle d'un char.

— Toujours pas de nouvelles ? demanda Julien.

« Quelle question idiote ! pensa-t-il aussitôt. Si elle avait des nouvelles, elle l'aurait déjà dit. »

— Non. Je devrais m'inquiéter, mais je sais que je vais le revoir. C'est un sentiment qui ne s'explique pas. Je sais que je vais le revoir.

Cette fois, Julien ne risqua pas de commentaire. Il prit Sophie par les épaules et l'entraîna vers le boulevard Sébastopol d'où s'échappait un air de musique. Mêlé au cercle des badauds, Julien repéra l'assiette du musicien emplie jusqu'au bord de pièces françaises et américaines.

— Pas mal son racket, constata Julien admiratif.

— Lui, au moins, gagne son argent. Il ne le vole pas.

— Il joue de l'accordéon. C'est pire.

— Tu n'aimes pas la musique ?

Julien rit de bon cœur.

— Je n'aime pas l'accordéon et je n'aime pas le biniou.

— Qu'est-ce que tu aimes ?

— Etre allongé dans un lit contre toi en écoutant Armstrong ou les chœurs de l'Armée Rouge.

— Piaf, ça ira ?

— Ça ira, dit Julien.

Ils se serrèrent un peu plus fort. Elle entoura sa taille et ils reprirent leur marche en silence. Sophie semblait réfléchir. Elle regarda deux fois le profil à la fois sévère et rieur de Julien avant de parler.

— C'est vrai ? Tu n'as jamais dormi avec une femme ?

— Si. Ma mère, ma sœur, ma tante et Grain-de-Café.

— D'où sort-elle, celle-là ? Tu ne m'en as jamais parlé.

— Une copine de ma sœur. Je ne me souviens que de son nom de scout : Grain-de-Café. On a dormi sous une tente enroulés dans la même couverture.

Un silence.

— Je n'ai pas osé.

Sophie rit. Puis :

— Oh, pardon !

— Je suis vierge, dit Julien. J'ai donc un cœur fragile. Piétine-le avec précaution.

— Je l'arroserai tous les matins.

Julien aimait ce jeu. Ils allaient faire l'amour cette nuit. Ils en parlaient à leur façon. Les mots étaient des promesses. Des caresses. Une phrase, de Tristan Bernard ou d'Alphonse Allais ? — il confondait toujours — lui revint en mémoire : « Le meilleur moment, en amour, c'est de monter l'escalier. » Il pensa à un homme condamné à la corde et qui dirait : « Le meilleur moment, en pendaison, c'est de monter l'escalier. » Sans raison cela le fit rire. Sophie était habituée à ces éclats de rire inattendus, évadés du néant, et ne posait plus la question : « Qu'est-ce qui est si drôle ? » Elle ne cherchait pas non plus à deviner. Analyser Julien était au-delà de ses compétences.

— Tu as le téléphone ? demanda-t-il soudain.

— Il est coupé depuis une semaine. On n'a pas payé juillet... Pourquoi ? Pour appeler les pompiers si je te viole ?

— On n'est jamais assez prudent.

Elle lui donna un coup de coude dans les côtes. Julien l'entraîna vers un café.

— Je t'offre un ersatz à la chicorée. Et deux saccha-

21

rines. Ce soir, c'est fête.

— Tu dois téléphoner ?

— Prévenir que je ne rentre pas.

— Maman s'inquiète ?

Julien ne releva pas le sarcasme.

— Je ne pense pas que Charlie s'inquiète. Mais c'est plus gentil.

Julien appelait sa mère Charlie. Il ne s'était jamais fait à son vrai prénom : Charlotte.

— Toi y'en as avoir bon cœur, dit Sophie parlant petit-nègre.

— Tu peux vérifier.

Julien prit la main de la jeune fille et la plaça sur sa poitrine.

— Et toi, tu as un cœur ?

— Je crois, dit Sophie. Tu veux vérifier ?

— On n'est jamais assez prudent, répéta Julien.

Il posa sa main sur le sein gauche de Sophie.

— Difficile de se faire une opinion. Trop de camouflage.

Sophie défit deux boutons de son chemisier. Julien glissa les doigts dans l'entrebâillement et caressa légèrement le sein dont le bout s'était durci. « Moi aussi », souffla-t-il dans l'oreille de Sophie. Elle laissa sa main descendre jusqu'aux cuisses de Julien et vérifia qu'il ne mentait pas.

— Un bon point, dit Sophie.

— Qu'est-ce que tu veux dire ? demanda Julien un peu choqué.

— Pas ce que tu crois... Elle ne put s'empêcher de sourire. Un bon point pour n'avoir pas demandé où était passé mon soutien-gorge.

— Où est-il passé ?

— Je l'ai brûlé. Ce matin, j'ai voulu repasser mon soutien-gorge, et je l'ai brûlé.

— Tant mieux.

Charlotte-Henriette Bourget avait été une petite fille têtue, indépendante, coléreuse, toujours prête à défendre les causes perdues et douée d'un coefficient d'intelligence raisonnablement supérieur à la moyenne. Elle ne supportait pas l'injustice (ou ce qu'elle considérait injuste) et se lançait à fond dans chacune de ses entreprises qui, en règle générale, avaient tendance à tourner au désastre. Bien que totalement dépourvue de sens de l'humour, elle aimait rire. A quarante et un ans, elle n'avait pas changé.

C'était une femme de tempérament mais qui n'avait jamais usé de son autorité pour influencer le caractère de ses enfants ni leur imposer sa façon de voir. Au contraire, tout en maintenant une relative discipline, elle aidait de son mieux à l'éclosion de leur personnalité. Julien n'avait jamais souffert du joug maternel et Lola, son aînée de onze mois, abusait sans vergogne des idées libérales de Charlie.

Le premier mariage de Charlotte Bourget avec un jeune et brillant chef d'orchestre, Hugues Versois, fut heureux. Il s'acheva tragiquement quelques jours après le voyage de Daladier à Munich. Hugues Versois mourait à trente-cinq ans d'un accident cardiaque.

Sans ressources — la guerre ne facilitait pas les choses —, Charlie éleva, seule, ses deux enfants. En 1942, elle fit la rencontre d'un autre génie, Gérald Lorrimer, architecte urbaniste en cavale qui fuyait les Allemands et prétendait travailler pour l'Intelligence Service britannique. Il avait dix ans de moins que Charlie et ne pouvait exercer légalement sa profession. Ce ne fut donc pas pour des raisons d'ordre matériel qu'elle devint, en 1943, Mme Lorrimer.

Gérald était un homme cultivé, amusant, d'une intelligence tout à fait originale, et il exerça une influence profonde sur Julien durant les années où se forment l'esprit et le caractère d'un homme. S'il ne remplaça jamais un père, il fut un bon compagnon de jeux et un maître à penser.

Une semaine plus tôt, apprenant que les Américains occupaient Fontainebleau, Gérald avait décidé de passer les lignes allemandes. Son plan était de gagner Londres et de se mettre à la disposition des autorités britanniques jusqu'à la fin des hostilités. Les Versois-Lorrimer avaient alors émigré rue Etienne-Marcel, au cœur des Halles, dans l'appartement de Florence Bourget, la mère de Charlie, veuve depuis quelques mois.

— Où es-tu ? demanda Charlie.

— 206 mètres à vol d'oiseau, répondit Julien. Sa voix grésillait dans l'écouteur. La communication était mauvaise. Lola est rentrée ?

— Elle est au lit, malade.

— Le choléra ?

— Le choléra, pourquoi ? Tu as entendu parler d'une épidémie ?

Charlie prenait toujours tout à la lettre et Julien ne se lassait pas de la faire marcher.

— Pour l'instant, on ne risque rien. Le virus fonctionne par ordre alphabétique. Ils n'en sont qu'à la lettre *C*.

Julien entendit la voix de Florence : « Le choléra ?
Il y a le choléra à Paris ? » et Charlie qui répondait :
« Non. Une plaisanterie de Julien. » Et le rire de sa
grand-mère.

— Lola a une indigestion.

— Une indigestion de quoi ?

— Un peu de tout. Chocolat, cigarettes, whisky,
corned-beef, chewing-gum. Tu connais Lola, elle ne
sait pas s'arrêter. A demain, mon chéri.

Après que Charlie eut raccroché, Florence
demanda :

— Il ne rentre pas ?

— Il reste coucher chez une camarade.

— Il faut bien que jeunesse se passe !...

Florence était une championne du lieu commun et
des formules préfabriquées. Elle pouvait soutenir une
conversation de trois heures en n'employant que des
proverbes ou des locutions populaires. Et cela, sur
n'importe quel sujet.

— Eh bien, je vais me mettre au lit, dit-elle. Qui
dort, dîne.

Une autre constante dans la vie de Florence : elle
avait toujours faim.

— Julien, dit Sophie, tu es menteur, voleur,
dissimulé...

— Hypocrite.

... et hypocrite, mais je ne sais pas pourquoi, j'ai
tendance à croire ce que tu me dis.

— Qu'est-ce que tu as en tête ?

— Quand tu prétends n'avoir jamais fait l'amour,
est-ce que c'est un jeu ?

— Non. Ça t'étonne ?

— Comment dire ? Tu me sembles quelquefois plus à ton aise, plus mûr que la plupart des hommes que j'ai rencontrés.

— J'attends peut-être quelque chose... Pourquoi serait-ce seulement les filles qui attendent quelque chose « la première fois » ?

— Moi, je n'attendais rien.

— Toi, tu n'as jamais de temps à perdre.

Sophie se mit à rire.

— Quand veux-tu que je dise : « Je t'aime » ? Avant ou après ?

— Avant et après, dit Julien.

Ils s'étaient arrêtés devant la vitrine d'une quincaillerie, au coin de la rue des Archives et de la rue de Rivoli. Sophie observait les yeux gris-vert de Julien, ces yeux qui variaient sans cesse de couleur, selon la lumière ou l'humeur du garçon. Ces yeux qui riaient lorsqu'il était sérieux et devenaient graves quand il jouait.

— Ça ne passe pas, dit Sophie.

— Ecris-le.

Elle mouilla son index de salive et dessina les lettres, en élève appliquée, sur la surface un peu graisseuse de la vitrine : JE T'AIME. La sirène se mêla au crissement aigu du doigt sur le verre, l'amplifia jusqu'à l'absurde.

— Une alerte, dit Sophie.

Personne n'y croyait. Les Allemands n'avaient plus d'avions, les journaux le répétaient depuis trois jours. « Une erreur. Ça ne peut être qu'une erreur. » Lorsque les premiers faisceaux lumineux fouillèrent les tripes du ciel, Julien pensa à une grande première d'Hollywood. Clark Gable allait apparaître au bras d'Irène Dunne.

— Un avion de reconnaissance, dit une voix assurée, ils vont l'avoir en trois minutes.

Les sirènes d'alerte s'étaient à peine tues que la première bombe explosa. Hitler, enragé que Paris n'ait pas brûlé, sacrifiait ses derniers aviateurs, comme un enfant détruit son jouet préféré pour se venger d'une injustice. Le centre, près des Halles et de Notre-Dame, fut le plus touché. Le souffle d'une bombe avait projeté à terre les jeunes gens. Derrière eux, un immeuble s'embrasait. Julien reconnut l'odeur du porc roussi. Trois corps brûlaient vif sur le trottoir.

La guerre n'était pas finie.

— Ça va ? demanda-t-il à Sophie, étendue près de lui et qui le regardait.

A la lueur des flammes, ses yeux bleus ressemblaient à deux miroirs violets.

— Ça va ? répéta-t-il.

— Oui, ça va…, dit Sophie.

Mais elle ne bougeait pas.

Julien se mit debout. La chaleur devenait intolérable. Il fallait courir pour ne pas griller ou recevoir le 47 de la rue des Archives sur la tête. Sophie ne bougeait pas. Il se baissa et l'attrapa par les poignets pour l'aider. Elle était molle.

— Je ne peux pas bouger. Je ne peux pas bouger…

Elle répétait ces mots sans élever la voix, comme une litanie. Julien tira son corps inerte de l'autre côté de la rue. Il s'assit et la prit dans ses bras.

— Viens, dit-il. C'est fini. N'aie pas peur. Les avions sont partis. Viens…

27

L'ange affamé

Il déplaça la main qui soutenait le dos pour essuyer le visage couvert de sueur. Et il vit le sang. Une affreuse virgule rouge marquait la joue et le front de Sophie là où ses doigts venaient de passer. Il défit les boutons et releva le chemisier : le sang coulait sur le dos et les reins de la jeune fille.

Il vit les trois éclats de la bombe plantés dans la colonne vertébrale.

II

Une ambulance militaire dirigea Sophie sur l'hôpital le plus proche : l'Hôtel-Dieu, place Notre-Dame. Julien dut s'y rendre à pied. Il était calme. Dans les situations dramatiques, ou face au danger, il dirigeait ses pensées et maîtrisait ses mouvements sans jamais céder à la panique. Enfant, il avait expérimenté ce phénomène de dédoublement.

C'était à Morzine, durant les vacances d'été. Le papier imprimé (fleurs bleues sur fond olive) couvrait les murs de la salle à manger. Par la fenêtre ouverte, Julien apercevait la forêt de sapins. La benne du téléphérique, tel un jouet, montait à l'assaut des pylônes. Sur la table en bois, où fumaient le lait et le café du petit déjeuner, le soleil faisait patte de velours. Hugues, le père de Julien, renvoyait à l'aide d'un couteau un « rayon ardent » sur le nez de Lola qui louchait et riait. Charlie beurrait une tartine.

Sans transition, Hugues s'était plié en avant, d'un mouvement souple, grotesque, renversant le café au lait qui coulait sur son visage. Et ce visage était blanc.

Blanc comme la nappe sortie de l'armoire une heure auparavant.

Le rire de Lola s'était transformé en hurlement. Julien aussi voulait crier, vider l'air de ses poumons mais, dans le même instant, il s'était retiré de son propre corps. Il voyait Charlie qui soulevait le visage pétrifié de son père. Il voyait Lola qui n'en finissait pas de hurler. Il se voyait lui-même, assis, les mains sur la table.

— Courez chercher le docteur, commandait Charlie d'une voix angoissée.

Lola s'élança hors de la pièce comme une folle. Julien « voyait » sa sœur qui courait dans les champs piqués de crocus et de primevères vers la maison du Dr Samuel, distante de quelques centaines de mètres et, simultanément, sa mère qui tentait d'allonger Hugues sur le plancher. Il se « voyait » allant vers la porte demeurée ouverte.

Tandis qu'il descendait quatre à quatre les marches de l'escalier, le phénomène cessa. Il enfourcha le vélo du propriétaire et rattrapa sa sœur au milieu du pré. Il arriva chez le docteur avec une minute d'avance sur Lola. Il sonna et la porte s'ouvrit presque aussitôt.

Huit ans plus tard, la porte sombre de l'Hôtel-Dieu refusait de s'ouvrir pour lui. Ce n'était pas l'heure des visites. Julien se dirigea vers l'entrée des ambulances et, profitant du désordre, se glissa à l'intérieur de l'hôpital.

Le long couloir lui rappelait les trains de l'Occupation. Corps allongés jusque dans les soufflets, civils, soldats, endormis, jouant aux cartes, ou debout les yeux vides sur la nuit et l'ennui. Et cette morne foule, toujours pigmentée par la cornette blanche ou noire de quelque nonne, droite, plantée sur la douleur humaine comme une fleur sur l'engrais. Aujourd'hui, les plaintes des blessés s'étaient substituées au contrepoint rythmé des boggies sur le rail.

Avançant au hasard, Julien se retrouva dans une salle d'attente au premier étage. Son pied manqua d'un fil le visage d'un homme étendu sur un brancard. Deux infirmiers, assis à même le sol, dos appuyé au mur, fumaient en silence.

— Je cherche une jeune fille qui vient d'être transportée ici. A qui dois-je m'adresser ? demanda Julien.

— Mon vieux, dans ce bordel, une chatte n'y retrouverait pas ses petits, dit l'un des infirmiers.

Julien regardait l'homme sur le brancard.

— Il est mort ?

Cette question provoqua un double éclat de rire.

— Pas mort. Ivre mort. Il tient une telle cuite que les gars ont cru ramasser un macchabée.

Le macchabée, éveillé par quelque mystérieux signal, se redressa, regardant autour de lui sans paraître autrement surpris. Il était passé sans transition d'un coma profond à l'état d'homme sortant d'une douche glacée. Son visage allongé, planté d'un grand nez, animé d'une bouche large et bien dessinée, ne manquait pas de charme. Julien eut la vision d'un gigantesque Pinocchio encombré de quatre membres déraisonnablement étirés.

— Qui m'a foutu une caserne aussi mal tenue ? furent les premiers mots de Pinocchio.

Encore titubant, mais pourtant alerte, il s'approcha d'un groupe de soldats.

— Je veux voir le général, commanda-t-il d'une voix si forte que le silence se fit autour de lui.

— Quel général ?

— Bradley. Leclerc. De Gaulle. Qu'on m'amène De Gaulle !

Quelques rires fusèrent.

Un des infirmiers dit :

— Ça va. Tu peux te tirer.

Pinocchio aurait peut-être opté pour cette solution logique lorsqu'il avisa le flacon de cognac que des soldats se passaient de main en main. Il se plaça sur la trajectoire de la bouteille qu'il intercepta avec adresse. Son voisin ne semblait pas apprécier sa remarquable faculté d'absorption et récupéra à temps le flacon aux trois quarts vide. Pinocchio, jugeant que l'endroit n'offrait plus d'intérêt, se dirigea vers l'escalier. Julien se trouvait sur son passage et leurs regards se croisèrent. L'homme fut-il touché par le désarroi et l'angoisse dans les yeux de l'adolescent ? Il s'immobilisa.

— Nom, prénom, profession, dit-il en pointant un doigt sur la poitrine du garçon.

— Julien Versois. Ame en peine.

Julien avait répondu sans réfléchir. Il se sentait perdu et l'homme lui plaisait.

— Pascal Cousin. Entrepreneur en désastres.

Julien remarqua que l'homme était beaucoup plus jeune qu'il ne l'avait d'abord pensé. Vingt-cinq ans peut-être.

— Où sommes-nous ? demanda Pascal.

— A l'Hôtel-Dieu.

— Ce n'est pas un endroit pour les âmes en peine, dit Pascal. Venez, la nuit est jeune.

Julien déclina l'offre. Il cherchait une amie gravement blessée et ne savait où s'adresser. Pascal, aussitôt, prit la situation en main.

— Attendez-moi, dit-il.

Une porte marquée DÉFENSE D'ENTRER attira son attention.

Sans hésiter, il tourna la poignée et referma la porte sur lui.

Quelques minutes plus tard, il était de retour, une sœur de l'ordre de Sainte-Cécile dans son sillage.

— Frère Julien, dont je vous ai parlé. Il a promis de se convertir si vous l'aidez à retrouver son amie.

— Quand est-elle entrée ? demanda la sœur à Julien.

— Il y a moins d'une heure.

— Son nom ?

— Sophie Ségur. Elle est blessée dans le dos.

— Suivez-moi.

Durant le trajet, Pascal mit Julien au courant :

— Sœur Catherine n'est à Paris que depuis trois semaines. Un cœur d'or tout neuf, pas encore contaminé. Avant d'entrer au couvent, elle gardait les vaches à Saint-Armand, dans le Jura, avec ses onze frères et sœurs.

— Pas les vaches, précisa sœur Catherine. Mon père est cultivateur.

Son petit visage rond était plaisant et ses yeux pétillaient de malice.

— Elle gardait les choux-fleurs, poursuivit Pascal sur sa lancée. Son père avait décidé que trois des enfants se feraient curés ou curetonnes. Un bon chiffre.

Et se tournant vers la sœur :

— Comment avez-vous tiré les noms ? A la courte paille ?

Sœur Catherine ne peut réprimer un sourire.

— Mon père et le curé de la paroisse ont décidé.

— Et la foi ! sœur Catherine... Que faites-vous de la foi ?

— Nous avons tous la foi dans la famille, monsieur.

Sœur Catherine les fit entrer dans un bureau et consulta une liste épinglée au mur.

— Attendez-moi, dit-elle.

Dès que la religieuse fut sortie, Pascal se mit à fouiller dans les tiroirs des classeurs.

— Que cherchez-vous ? demanda Julien.

— Rien. Je ne cherche rien, ce qui est l'occupation principale de 90 pour 100 de l'humanité. Un travail éreintant, mais sans risques.

Julien essayait de sourire mais le visage blafard et terrifié de Sophie lui revenait sans cesse en mémoire. « Julien, disait-elle, si je reste paralysée, aide-moi à mourir. »

Sœur Catherine était de retour.

— Elle est en salle d'opération. A-t-elle de la famille ?

— Sa mère.

— Elle habite Paris ?

— Oui.

— Pouvez-vous la prévenir ? Il faudrait qu'elle vienne, pour signer les papiers.

Julien se souvint d'une phrase de Sophie : « Le téléphone est coupé. On n'a pas payé juillet. » Il ouvrit l'annuaire des rues à la lettre O. Il y avait plusieurs abonnés au numéro 14 du quai d'Orléans. Il choisit un nom au hasard : COMPTOIS G. Vve. Une voix âgée, un peu anxieuse, lui répondit. La veuve Comptois G. semblait encore sous le choc des bombes tombées à moins de 500 mètres de l'île Saint-Louis.

— C'est impossible, disait-elle. Ma fille habite le Chambon-sur-Lignon.

— Il ne s'agit pas de votre fille, madame. Il s'agit de Sophie Ségur.

— Mon Dieu ! La petite Ségur ! Mais que fait-elle avec ma fille ?

Julien, à bout de patience, allait raccrocher quand la lumière se fit dans l'esprit de la veuve Comptois.

— Je monte prévenir Mme Ségur. Comptez sur moi. Mon Dieu, quel malheur !... A peine vingt ans !... Et toujours si gaie. Ce matin encore elle m'a descendu les ordures.

Julien raccrocha après un bref « merci ». Il se tourna vers sœur Catherine :

— Est-ce que je peux attendre ici la fin de l'opération ?

— C'est contre le règlement. Revenez demain à 9 heures. A l'ouverture des visites.

Sœur Catherine regardait Julien avec tendresse. « Vous l'aimez ? » semblait-elle dire. Elle ajouta :

— Je suis désolée.

Pascal s'empara du téléphone.

— J'appelle le carrosse. Youp la boum !... Ma Pomme...

Et il enchaîna à l'intention de la voix qui grésillait dans l'écouteur :

— C'est môa... Oui, Pascal. Une urgence. Je t'attends sur le parvis de Notre-Dame.

Tandis qu'il quittait l'Hôtel-Dieu en compagnie de Pascal, Julien apprit que le « carrosse » était une Viva-Stella de 1938 appartenant à Maurice Chevalier. Les raisons pour lesquelles Pascal disposait du carrosse et de son cocher, et comment le réservoir à essence était alimenté, restèrent, ce soir-là, pour Julien, un mystère. En revanche, il eut droit à une imitation du fameux chanteur au canotier (pour l'heure exilé aux Etats-Unis) qu'il trouva géniale.

La Renault déposa Julien devant sa porte. L'Entrepreneur-en-désastres embrassa le jeune homme et tandis que la voiture repartait, il se pencha à la portière :

— Salut, l'Ame-en-peine ! A bientôt.

Julien n'avait pas songé à lui demander son adresse.

III

Le commandant Ségur arriva au 14, quai d'Orléans avant sa lettre postée de Londres deux mois plus tôt. Averti par les voisins de l'accident survenu à sa fille, il remonta dans sa jeep.

— Hôtel-Dieu, Alain. Tu connais ?

— Oui, mon commandant, répondit le jeune chauffeur.

Pont de la Tournelle, une colonne de camions bloquait la circulation.

— Prends le trottoir, ordonna Ségur.

Il sentait les larmes lui monter aux yeux et détourna la tête. Il fixa son attention sur les arcs-boutants délicatement scellés aux murs de la cathédrale. A cet instant, les cloches de Notre-Dame donnèrent de la voix. Chant d'airain joyeux et rassurant, chant d'espoir qui célébrait la vie. Une rage soudaine, démente et d'autant plus brutale qu'il n'y était pas préparé, submergea l'officier. Il explosa, tel un barrage succombant à la poussée de millions de tonnes d'eau :

— Nom d'un bordel de merde, Alain ! Nom de

L'ange affamé

Dieu de bordel de merde ! Six ans de guerre, pas une égratignure. Fait comme un rat à Dunkerque, les trois quarts de ma compagnie éventrés, ou crevant du typhus au stalag, et moi, pas un rhume. Pas même enroué par les Notre-Père et les sermons du dimanche. Cordes vocales à toute épreuve. Et mon évasion ! Nous étions quatre. Lefranc, Scheller et Saint-Gilles hachés menus par les MC-34. Moi, rien bien sûr, l'armure de Bayard. Le doigt de Dieu sur ma putain de carcasse. Et le passage des Pyrénées, en pleine tempête de neige, pour finir à Bourg-Madame avec une engelure à l'orteil du pied gauche. Une engelure de merde, pas de quoi faire pleurer une pucelle ! Londres, le blitz, le débarquement. J'étais à Saint-Malo, aux places d'orchestre, 72 pour 100 de pertes dans mon régiment. Ensuite Saint-Malo, Paris, une petite saison en enfer, cousue main. Et moi, rien. « Ségur la Baraka », c'est bien comme ça que les gars m'ont surnommé, Alain ? Baraka, mon cul ! Et moi, remerciant Dieu, sourire de con aux lèvres, comme le ravi de la crèche. Il m'attendait au coin, le Grand Barbu ! Il l'avait mijotée, sa punition. Servie chaude, croustillante, au dessert, ce jour que j'attends depuis six bordels de merde d'années. Pourquoi elle, nom de Dieu ! Pourquoi pas moi ? Je lui en ai envoyé du monde au Barbu, de quoi afficher complet au paradis pour la saison, mais ça ne lui suffisait pas, sans doute ! Il lui fallait ma fille. Oh, merde de merde, Alain, pourquoi elle et pas moi ?

Le jeune soldat n'en revenait pas. Le commandant Ségur était réputé pour sa froideur, son calme et sa réserve, même au feu, dans les pires moments. Cet homme pudique et religieux ne manquait jamais le service du matin. Et le voilà qui jurait et insultait Dieu sans retenue, comme un communiste. Alain arrêta la jeep devant l'Hôtel-Dieu.

— C'est votre fille, commandant ? demanda-t-il.

— Oui.

Sans transition apparente, Ségur avait retrouvé son calme.

Les cloches s'étaient tues.

— Oublie ce que tu as entendu, Alain, ajouta-t-il. Ce n'était pas moi qui parlais.

— Mon commandant...

Alain hésitait.

— Oui ?

— Valait sans doute mieux que ça éclate maintenant que plus tard, chez vous.

— Si je ne suis pas de retour dans une heure, rejoins le cantonnement et préviens le colonel.

Alain suivit des yeux l'homme qui marchait d'un pas assuré vers la porte d'entrée de l'hôpital, impeccable dans son uniforme.

Julien était en état de guerre ouverte avec le sbire buté et arrogant qui prétendait ne pas avoir de Sophie Ségur sur sa liste.

— Elle est entrée hier soir à 11 heures. Elle a passé la nuit en salle d'opération, répétait Julien qui cherchait désespérément à garder son calme.

— Pas sur ma liste, répétait l'homme.

— Renseignez-vous, nom d'un chien ! C'est votre boulot, non !

Julien n'avait pas remarqué l'officier français qui le poussa légèrement pour s'adresser au fonctionnaire.

— Monsieur, dit le commandant Ségur d'une voix glaciale, je vous donne 30 secondes pour obtenir l'information qui vous est demandée. Je suis le père de cette malade.

— Moi, je vous donne 30 secondes pour me foutre la paix. J'ai d'autres choses à faire que de chercher des noms qui ne sont pas sur ma liste, répondit le fonctionnaire.

Il avait parlé sans lever la tête. Quand il croisa le regard de l'officier, il regretta aussitôt sa réponse. Pour se donner une contenance, il replongea le nez dans ses formulaires. Le commandant passa le bras par l'ouverture du guichet et, d'un geste, balaya le comptoir.

— Je n'ai pas l'habitude de répéter mes ordres, dit-il.

Le fonctionnaire voulut protester, changea d'avis et décrocha son téléphone.

— Salle Saint-Paul, au deuxième, dit-il.

En observant le commandant Ségur, Julien devina d'où Sophie tenait son dynamisme et son autorité. Elle ressemblait si peu à sa mère. Mme Ségur était une femme effacée, molle, qui priait encore à l'aide d'un chapelet comme les vieilles paysannes que Julien avait connues en Haute-Savoie.

— Vous êtes un ami de Sophie ?

— Oui. J'étais avec elle, pendant le bombardement.

Il donna les détails de l'accident. Il ressentait de la peine pour cet homme qui revenait chez lui un jour trop tard.

— Vous connaissez bien Sophie ? demanda Ségur tandis qu'ils montaient l'escalier de pierre.

— Je suis un camarade du cours Dullin.

Le nom n'évoquait rien pour l'officier.

— C'est un cours d'art dramatique, précisa Julien.

Ségur regarda l'adolescent comme s'il ne comprenait pas le sens de ces derniers mots. Une brève expression de mécontentement passa dans ses yeux.

— Sophie fait du théâtre ?

— Pas encore. Elle apprend.

Ils n'échangèrent plus une parole.

La salle Saint-Paul comptait une cinquantaine de lits. Les patients nécessitant des soins particuliers et les opérés se trouvaient séparés des autres malades par un rideau qui, dans un lointain passé, avait sans doute égayé la pièce de sa blancheur Persil. Mme Ségur parlait avec un interne près du lit où Sophie semblait dormir. Elle vit l'officier qui s'approchait d'elle. Elle dit :

— Edouard.

Elle mit la main à la bouche pour étouffer un cri. Julien crut qu'elle était prise de hoquet. Elle sanglotait sans bruit, les épaules agitées d'un mouvement ascendant et descendant. « Elle va se décrocher les bras », pensa l'adolescent. M. Ségur serra sa femme contre sa poitrine.

— Edouard, dit-elle (et son visage couvert de larmes irradiait la souffrance et le bonheur), je n'ai pas su te la garder.

Sophie ouvrit les yeux et reconnut son père. Le commandant s'agenouilla, prit la main de sa fille dans ses mains, embrassa délicatement les doigts diaphanes. Ils se regardaient sans prononcer un mot.

Julien suivit l'interne qui s'éloignait et l'arrêta dans le couloir.

— Comment va-t-elle ? demanda-t-il.

— Vous êtes un parent ?

Julien trouva le jeune homme particulièrement anti-pathique et décida de mentir.

— Son frère.

L'interne reniflait par saccades brèves émettant un bruit qui rappelait à Julien le crissement de la craie sur un tableau noir. Difficile de savoir s'il s'agissait d'une allergie quelconque ou d'une manifestation dérisoire d'autorité.

— Les cordons moteurs sont touchés, dit l'interne. Je n'ai pas voulu accabler cette pauvre femme... votre mère. J'ai été vague. Mais vous êtes un homme. Vous avez le droit de savoir. Le Pr Armand a diagnostiqué une paraplégie flasque des membres inférieurs. Du courage, mon petit.

Un dernier reniflement, l'interne était parti. Julien resta deux secondes immobile puis courut après le renifleur qu'il rattrapa en haut de l'escalier et lui décocha un magistral coup de pied dans les fesses. L'interne se retourna, terrifié.

— Excusez-moi, dit Julien, c'est nerveux.

Après un acte physique violent (même sans conséquence), Julien se sentait toujours déprimé. Il oublia l'interne et se rendit auprès de la blessée. Il ne tenait pas à troubler la réunion de famille par sa pré-sence mais voulait signaler à Sophie qu'il était venu. Il embrassa la jeune fille sur le front, salua poliment M. et Mme Ségur et promit qu'il reviendrait avant la fin des visites.

Julien avait faim et mal à l'estomac. Dix jours avant l'entrée des premiers chars alliés dans Paris, les autori-tés avaient distribué à la population les rations de sucre du mois. Les laitages, la viande et les primeurs n'arrivaient plus aux Halles. Quant au pain, il était rare même au marché noir (accessible à une minorité de Parisiens dont les Versois ne faisaient pas partie). Pendant dix jours, Julien avait croqué du sucre en morceaux, sucé du sucre caramélisé et bu du sirop de camomille jusqu'à la nausée. *« Ad museum »*, comme disait Lola. A l'arrivée des Américains, une débauche de chewing-gum, de chocolat, de biscuits, de rations A et d'alcools divers, avait donné le coup de grâce au système digestif du jeune garçon, sérieusement malmené par le sucre de raisin et les topinambours fermentés de l'Occupation. Julien y avait survécu, mais Lola était toujours au lit, verte, suppliant qu'on l'achève. Malgré ses brûlures d'estomac, Julien pensait au repas de midi qui posait, aujourd'hui encore, un problème. « Sophie est paralysée, pire que morte et je ne pense qu'à bouffer », se dit-il, dégoûté de lui-même.

Place du Châtelet, il s'arrêta, pour respirer l'électricité : après les deux semaines de fermeture du métro il retrouvait avec plaisir l'odeur entêtante du métal. Ce fut un instant de pure volupté. L'image de Sophie, misérable dans ses draps de lin mal repassés, s'estompa, chassée par une vague de joie et d'optimisme irraisonnés.

Les cinq années de guerre avaient été pour Julien une expérience brutale, souvent pénible et angoissante, mais riche en aventures passionnantes. Enfant, il n'était pas conditionné par les souvenirs d'un passé plus heureux et les habitudes du temps de paix. Entre le calvaire de la débâcle sur les routes de juin 40, où les paysans vendaient l'eau du puits au prix du champagne, la famine sur la Côte d'Azur, le tonnerre du 27 novembre à Toulon, quand la flotte s'était sabordée au nez des Panzerdivisions, les contacts avec la résistance en Haute-Savoie et la répression sauvage qui suivit, enfin Paris et la Libération, les moments de bonheur avaient pesé dans la balance plus lourd que la peur, la faim et la mort omniprésente. Mais, comme la majorité des Français, gaullistes ou pétainistes, collaborateurs ou résistants, Julien avait subi les effets morbides d'un univers concentrationnaire où régnait la délation, où la justice était la loi du plus fort et l'espoir d'une liberté mythique· à peine entrevue à l'autre extrémité du tunnel. Que les frontières de cet univers se soient mesurées en milliers de kilomètres ne changeait rien à l'effet d'étouffement : la France était une gigantesque prison. On ne voyait pas toujours les barreaux, on savait qu'ils étaient là.

Aujourd'hui, en chaque lieu, dans chaque ville d'où l'Allemand avait fui, c'était l'ivresse. Une ivresse dangereuse, sans doute, comme l'ivresse des grands fonds mais personne encore ne le savait.

L'heure était à l'espoir.

Devant le théâtre Sarah-Bernhardt, les pensées de Julien retournèrent à Sophie : les élèves devaient l'attendre pour la répétition. Il fut tenté de rebrousser chemin. Une idée lui vint. Il y réfléchit un instant et, souriant, poussa la porte de l'entrée des artistes.

« Elle disait que cela lui rappelait le pavot, la mandragore, le '' goût des breuvages maléfiques de l'Inde...'' »

— Dis-moi, interrompit Julien, tu joues de l'Anouilh ou du Giraudoux ?

Philippe Leroy se tourna, furieux, vers Julien. Il

n'avait pas vingt ans, en paraissait vingt-cinq et se prenait, à tort, pour un jeune premier romantique. Il devait son rôle du prince aux rideaux de cretonne dérobés dans l'appartement bourgeois de ses parents. Sophie avait décidé que cet accessoire indispensable au décor de *Léocadia* valait bien une concession au niveau de la distribution. Amusant, toujours prêt à rendre service, Philippe était aimé de tout le monde. Il n'avait qu'une faiblesse : son entêtement à poursuivre une carrière d'acteur.

— Tu n'aimes pas Giraudoux, dit Philippe à Julien.

— Je n'aime pas la façon dont on interprète Giraudoux. C'est différent.

— La poésie t'emmerde.

— Ce sont les poètes de ton espèce qui m'emmerdent, répondit Julien. L'œil attendri, l'adverbe baveux, pleurnichant du José Maria de Hérédia dans le salon de maman pendant que la cousine Adrienne joue du Chopin sur le piano à queue.

— L'hypocrite ! L'immonde ! L'innommable rat d'égout ! s'écria Philippe prenant ses camarades à témoin. Il est fou amoureux de ma cousine Adrienne. Il la coince dans les couloirs. Il la trousse à la cuisine. Il m'a promis sa sœur en échange d'Adrienne si je lui arrangeais le coup !

Marie éclata de rire, suivie des autres élèves. Philippe passa son bras autour du cou de Julien et les deux garçons s'écroulèrent sur la scène, saisis à leur tour de fou rire.

— Est-ce que Sophie t'a vraiment demandé de la remplacer ? questionna Philippe quand il eut repris son sérieux.

— Pas par écrit, dit Julien.

— Verbalement ?

— Pas exactement.

— Alors comment ?

— Je l'ai lu dans ses yeux.

— Ce type est un dangereux mythomane, dit Philippe pointant un doigt sur la poitrine de Julien. Pire, un Iago sans noblesse, il utilise l'accident d'une malheureuse camarade pour servir son ambition personnelle. Je propose un vote pour élire le metteur en scène.

— Je te croyais royaliste, dit Julien. Tu crois à la démocratie, tout à coup ?

— Seulement au théâtre.

Après un bref débat, trois candidats restèrent en lice : Julien, Philippe et un garçon boutonneux surnommé Zig-et-Puce — non qu'il ressemblât à l'un des personnages de la bande dessinée mais parce qu'il se grattait sans arrêt. Philippe n'obtint aucun vote, Zig-et-Puce quatre voix, contre cinq à Julien.

— Je préfère être récusé à l'unanimité qu'élu à une si minable majorité, conclut Philippe.

Deux heures plus tard, les élèves arrivèrent pour le cours de l'après-midi. Isolés ou par groupes, ils passaient la porte, s'immobilisaient un instant puis, silencieux, prenaient leur place sur les chaises ou les bancs du petit théâtre. Julien, à peine conscient du remue-ménage dans son dos, n'avait pas interrompu la répétition. Un lien subtil s'était noué entre lui et ces jeunes gens qui, sur scène, perdaient leur identité. Ils n'étaient plus Philippe, Marie, Jeanine, Michel, mais le prince, Amanda, la duchesse, Hector. Julien avait accompli ce délicat miracle, le passage d'un univers à l'autre. Sage-femme de l'illusion, il donnait le jour aux personnages d'Anouilh. Il ne vit pas entrer Charles Dullin, n'entendit pas les élèves qui se levaient.

— Eh bien, Julien, dit Dullin, il semble que le théâtre ait hérité d'un metteur en scène.

Il y avait une note d'ironie dans la voix, mais, comme les génies dont l'analyse est fulgurante, Dullin ne s'était pas trompé.

Trois années plus tard, Julien se souviendrait de ces quelques mots.

IV

Il ouvrit les yeux. Le reste du corps ne répondait plus : paralysé. « Je rêve que je suis Sophie », pensa-t-il.

La voix de Lola résonnait dans la cuisine, stridente. Elle réclamait son trousseau de clés. Lola réclamait toujours quelque chose. Charlie et Florence parlaient dans le salon. Il ne comprenait pas ce que disait sa mère mais la réponse de sa grand-mère lui parvint clairement : « Rira bien qui rira le dernier ! »

Julien pouvait voir une partie de la lingerie qui lui tenait lieu de chambre à coucher (le soir, il dépliait un vieux lit de camp). Le décor était familier. « Bon, je ne dors pas », conclut-il. Par un effort intense de volonté, il réussit à tourner la tête sur l'oreiller puis à bouger les doigts de la main droite. Il lui fallut plus d'une minute pour s'asseoir sur le bord du lit. Le processus était physiquement pénible, mais il ne parvenait pas à localiser le centre de la douleur. Il pensa qu'un astronaute échoué sur une planète à forte gravité devait éprouver cette sensation inhumaine d'écrasement.

Alors il vit le dos.

Il s'était endormi nu, la veille, et réalisa que ce dos marqué de plaques rouges était son propre dos.

Il voyait la pièce de deux points dans l'espace, simultanément. Le premier angle de vision balayait la plus grande partie de la lingerie et la moitié du lit sur lequel il était assis. Le second angle, légèrement décalé et déterminé par sa position assise, était limité à deux murs.

Julien voulut tourner la tête pour se regarder « se regardant » mais n'y parvint pas. Il concentra son attention sur les plaques rouges qui marbraient la peau de son dos. Ce n'était pas de la peinture... ni l'empreinte du drap...

Sans transition, le phénomène cessa. Julien se retrouva maître de ses mouvements. Pas un instant, il n'avait paniqué. Cette forme étrange de dédoublement lui était familière. Il l'avait éprouvée à plusieurs reprises mais toujours sous le choc d'un événement exceptionnel. La première fois quand son père s'était évanoui sur sa tasse de café au lait ; la seconde fois... oui, près de Tarascon, en juin 1940. Les aviateurs italiens avaient mitraillé le train de réfugiés. Un vieil homme et sa fille étaient morts. Lola, allongée sur les valises, dans le filet, appelait sa mère. Julien s'était vu de « l'extérieur » du compartiment, à travers la vitre éclatée par les balles. Il demeurait sagement assis, le vieil homme couché sur ses genoux...

Le dimanche des représailles, au col des Gets, les choses s'étaient passées d'une façon différente. Il se tenait debout, contre l'abreuvoir, derrière les Allemands et les miliciens de Vichy et, dans le même temps, il voyait la ferme de « l'intérieur ». Il ne sentait pas la chaleur, il voyait le tourbillon des flammes, la fumée noire et son ami François qui hurlait de terreur et de douleur avec les autres.

Julien chassa de son esprit l'épouvantable souvenir. Il se leva, enfila son pantalon et se dirigea vers les cabinets qui se trouvaient au bout du couloir, avant la porte de la cuisine.

A la moitié du trajet, il s'évanouit.

Il revint à la conscience, étendu sur le canapé du salon. La première chose qu'il aperçut fut le visage du Dr Lacroix, penché sur lui.

— Décommandez le curé, dit le docteur. Le moribond se porte comme un charme.

Charlie détestait les plaisanteries du Dr Lacroix qui habitait l'appartement du premier et connaissait la famille depuis vingt ans. C'était un homme charmant, chauve comme un moine tibétain et qui ne résistait jamais à une plaisanterie de mauvais goût. Son embonpoint n'avait apparemment pas souffert du régime de l'Occupation et il frottait souvent, d'un geste machinal, sa panse rebondie. Ce qui provoquait invariablement ce commentaire de Florence : « Mon petit ventre console-toi, tout ce que je mange, c'est pour toi. »

Le Dr Lacroix ne perdait sa bonne humeur qu'en une seule occasion, lorsque Julien le battait aux échecs.

— Eh bien, mon gaillard, dit-il au jeune homme, tu nous mijotes une bonne rougeole de derrière les fagots !

— A mon âge ? Je ne suis pas un peu vieux pour la rougeole ?

— A cœur vaillant, rien d'impossible !

Florence avait une formule pour chaque occasion.

— Comment te sens-tu ? demanda Charlie.

— Il se sent comme un sac à leucocytes qui accuse 40 °C de fièvre, qui va se mettre au lit et qui va suer pendant quatre jours, dit le docteur.

— La rougeole..., répétait Julien incrédule.

— On attrape la rougeole à cinquante ans. Ce qui est rare c'est le coin que tu as choisi pour développer tes zygomates.

— Je ne comprends pas, dit Julien.

— En général, expliqua le docteur, les plaques rouges apparaissent d'abord sur le ventre. Trop banal pour toi, bien sûr. Tu as préféré te distinguer. Une fois sur cinq cents seulement, les taches rouges commencent dans le dos.

La phase aiguë de la maladie ne dura que quatre jours, comme l'avait prévu le Dr Lacroix, mais fut extrêmement violente. A plusieurs reprises, le mercure dépassa 42 °C. Charlie et Florence se relayaient au chevet de Julien, couvrant son corps de serviettes trempées dans l'eau froide. Le docteur avait décidé de transporter l'adolescent à l'hôpital quand brusquement la fièvre tomba. « Ce gamin adore me contredire », fut son commentaire.

Deux jours plus tard, Julien jouait aux échecs avec le bon Lacroix qui, se voyant mat, menaça de rappeler les microbes.

Julien lui demanda de se rendre à l'Hôtel-Dieu pour prendre des nouvelles de Sophie.

— J'irai demain, promit le docteur.

Au plus fort de sa fièvre, Julien avait rêvé de

Sophie. Il se trouvait avec la jeune fille dans un canot à moteur et volait sur la crête des vagues. Le bateau s'élançait vers la terre. Il ne s'échouait pas et continuait sa course sur le sable, sur l'herbe, sur la route. Il traversait un village. A un moment ou à un autre, Julien se retrouvait en mer. Mais Sophie n'était plus là. Désespéré, il repartait vers la côte pour la rechercher. Cette fois, le bateau s'échouait, l'hélice ne tournait plus.

Julien s'éveillait. Il n'était pas dans son lit. Il était dans un canot à moteur avec Sophie qui riait. Il lui prenait la main oubliant le mauvais rêve. Ils s'aimaient. Le canot volait sur la crête des vagues et s'élançait vers la plage...

Et le même rêve se poursuivait, sans fin. Avec l'entêtement d'une aiguille de phonographe sur un disque rayé, prisonnière du même sillon.

Un remords obsédait Julien. Après la répétition de *Léocadia,* il s'était attardé au théâtre. Réalisant que l'heure des visites était passée, il avait couru jusqu'à l'hôpital. On ne l'avait pas laissé entrer. « Je la verrai demain matin », s'était-il promis.

Il y avait de cela une semaine.

— Vous avez pu la voir ? furent ses premiers mots au Dr Lacroix.

— J'ai parlé au Pr Armand.

Lacroix se frottait la panse, l'air absent.

— Qu'est-ce qu'il a dit ?

— Armand n'est pas précisément loquace. Même entre confrères. Il réserve son pronostic. Ils vont la renvoyer chez elle dans quelques jours.

— C'est plutôt bon signe ?

— C'est bon signe.

— J'avais questionné un interne, dit Julien, un sinistre petit connard. Il prétendait qu'elle ne pourrait plus jamais marcher.

Lacroix ne répondit pas.

— Je lui ai balancé mon pied au cul, ajouta Julien.

Lacroix réprima un sourire.

— Armand parle d'une seconde intervention, dit-il. Mais pas avant plusieurs mois.

Julien eut soudain l'intuition que le docteur n'était pas tout à fait franc.

Lacroix se retourna et ouvrit sa trousse qu'il avait posée sur une chaise.

— Si on s'occupait un peu de toi, mon garçon ?

V

Mea Culpa
Cendres sur la tête
Pardon à genoux, à plat ventre
Pardon à quatre pattes
Honte et déshonneur
Foudres du Tout-Puissant sur l'humble et misérable
pécheur.
L'infâme ver de terre, kaléidoscope de bassesses, implore ta
mansuétude !
Après avoir fait contrition et amende peu honorable, le déchet
de l'espèce humaine que je suis trouve l'impudent courage de
t'écrire :

« Paris, 4 septembre 1944.

Sophie chérie,
Je voulais te prendre dans mes bras, caresser tes cheveux.
Tu étais si pâle, si belle, si fragile. Mais ton père était là, ta
mère pleurait, je ne me sentais pas le droit de troubler ce moment
unique qui vous appartenait. Je pensais revenir pour les visites
de l'après-midi.

54

L'ange affamé

Je me suis rendu au théâtre et j'ai annoncé à cette bande de bâtards prétentieux, que tu as choisie pour interpréter Léocadia, que tu m'avais délégué tes pouvoirs de metteur en scène. Pour une période transitoire, bien sûr, le temps que tu te rétablisses et retrouves ta place parmi nous. Dullin est arrivé et je n'ai pas réalisé qu'il était déjà 5 heures quand il a terminé son cours. Le S.S. de garde à l'hôpital n'a pas voulu me laisser entrer. J'ai envisagé de téléphoner au général Leclerc pour lui demander un tank et quelques pièces d'artillerie afin d'enfoncer l'un des murs de l'Hôtel-Dieu. Mais j'ai eu peur que le boucan ne te dérange et j'ai courageusement renoncé à mon projet. J'ai pensé qu'il serait plus raisonnable de revenir le lendemain.

Hélas, un petit malin, assis sur quelque nuage à la gauche ou à la droite du bon Dieu, avait décidé de me punir pour mon retard de la veille. Je me suis réveillé avec 42 de fièvre et, pour la première fois de ma vie, j'ai tourné de l'œil comme une pucelle d'un roman de Paul Bourget. Je croyais que ma fièvre était d'origine strictement romanesque, provoquée par le désespoir de n'avoir pu t'embrasser sur ton lit d'hôpital, mais le docteur a diagnostiqué une rougeole. (Ne ris pas !) En tout état de cause, mal d'amour ou maladie infantile, j'ai été K.O. cinq jours. Dans mon délire, j'ai rêvé de toi. C'était un rêve bizarre et obsédant et j'aime mieux ne pas t'en parler ici.

J'ai envoyé mon docteur aux nouvelles et il m'a annoncé que tu serais chez toi dans quelques jours. Si j'avais eu la force de tenir sur mes jambes j'aurais exécuté la danse de '' L'Heureux Guerrier de retour chez les siens''. J'ai donc décidé de remplacer la danse par un poème. Malheureusement, si le corps était faible, l'esprit branlait aussi. Après la seconde strophe, panne sèche. De nature obstinée j'ai pu cependant, après quelques heures de sommeil, écrire les trois dernières strophes. Je te déclamerai les strophes manquantes à notre prochaine rencontre.

L'ange affamé

25 pour 100 d'un poème en vers semi-libres écrit par Julien Versois à l'objet de ses désirs :

> *Paresseux sont les dieux*
> *Qui sont d'Avant*
> *Et d'Après*
> *Et oublient d'inventer*
>
> *Nous sommes leurs bébés*
> *Leurs pensées*
> *Leurs amours*
> *Très vite relégués*

(Ici, dû au manque d'inspiration du poète, nous sautons une dizaine de strophes.)

> *Et dans un temps*
> *Très proche*
> *Que les dieux nous reprochent*
> *Nous serons les Enfants*
>
> *Qui décident, et commentent*
> *Et dessinent*
> *Et s'inventent*
> *Et remplacent les dieux*
>
> *Et les dieux réveillés*
> *Qui crient au scandale*
> *Tout nus*
> *Et sans épées*
> *Nous prendront dans leurs bras*
>
> *Mais nous n'oublierons pas.*

En partant de ces débris, un paléontologiste arriverait peut-être à découvrir le sens caché de ce poème. Si tu trouves, n'oublie pas de m'en parler.

Sophie, je crois que je tourne autour du pot. Ce que j'ai à te dire tient en peu de mots.

Je pense à toi le matin, l'après-midi, le soir, et la nuit. J'ai envie de te prendre dans mes bras, de t'embrasser et de te dire des choses tendres, pornographiques et immortelles. Et ce n'est pas dû à ton accident ou à ma fièvre des jours passés. La chose est arrivée au cours de cette soirée, avant le bombardement. Je crois que je suis tombé amoureux de toi.

Hier, Philippe m'a rendu visite et donné des nouvelles du cours. Ils ont laissé tomber les répétitions de Léocadia en attendant ton retour. (En fait, l'hypocrite n'était pas venu pour moi. Il espérait voir ma sœur, Lola, dont il est fou. Mais Lola prétend aimer le frère de Philippe, l'abominable Léon. Une affaire bien délicate !)

Je peux circuler dans l'appartement mais le docteur interdit toute sortie avant dix jours.

Je comprends que tu sois heurtée et sans doute fâchée de ne pas m'avoir vu à l'hôpital pendant une semaine. Maintenant que tu connais la raison, je t'en supplie, envoie-moi un mot pour me donner de tes nouvelles. (Je sais par les réclamations que votre ligne n'est toujours pas en service.)

Un presque amant désespéré, fou de joie de te revoir bientôt.

Julien.

Julien plia sa lettre sans la relire et la glissa dans une enveloppe à l'adresse de l'Hôtel-Dieu. Après avoir collé le timbre il ajouta : FAIRE SUIVRE S.V.P., se leva et partit à la recherche de Lola.

Il la trouva dans la cuisine, montée sur une chaise.

Julien circulait en chaussettes et sa sœur ne l'avait pas entendu.

— C'est là que tu caches ton chocolat ? demanda-t-il.

Prise la main dans le sac, Lola se montra bonne joueuse et partagea une tablette de chocolat au lait Nestlé avec son frère.

— Où as-tu dégoté du chocolat suisse ?

— Un copain.

Lola était avare de détails sur sa vie privée.

Julien lui tendit sa lettre.

— Tu peux la poster avant six heures ?

— D'accord.

— Tu n'oublieras pas ?

— Est-ce que j'ai l'habitude d'oublier ?

Julien, qui ne voulait pas irriter sa sœur, se garda de répondre qu'elle possédait, hélas, un don unique pour oublier tout ce qui ne la concernait pas directement. Il répéta simplement :

— La dernière levée est à six heures.

Lola Versois tenait son chocolat du frère de Philippe, Léon Leroy, qui l'attendait devant le 72 de la rue Etienne-Marcel, au volant de sa Talbot, une des rares voitures non officielles circulant à l'époque dans Paris.

Léon était un homme séduisant. Il avait vingt-six ans, en paraissait trente ; son assurance naturelle, son vernis occultaient un manque certain d'originalité. Il avait passé la guerre en Suisse s'occupant personnellement de quelques refugiés de marque dont il comptait sur l'appui politique en France après le départ des

Allemands. Revenu discrètement à Paris un mois avant la Libération, il se tenait prêt à reprendre la direction des usines de pneumatiques appartenant à son père. M. Leroy, lui, n'avait pas attendu qu'on vienne l'arrêter à domicile pour collaboration avec l'occupant. Il avait pris, en sens inverse, vers le lac Léman, l'itinéraire suivi six semaines plus tôt par son fils.

Philippe, dont la vocation théâtrale épouvantait le reste de la famille, n'était pas un obstacle à l'ambition de Léon qui allait non seulement le priver de son droit légitime à la fortune des Leroy, mais, pour faire bon poids, lui souffler la femme qu'il aimait comme un fou.

On peut porter au crédit de Léon qu'il avait bon goût. Lola était une fille remarquable, grande, vive, sensuelle, elle attirait les hommes comme un aimant et, ce qui ajoutait à son charme, ne semblait pas s'en rendre compte. Rieuse de nature mais facilement emportée, elle abusait sans vergogne de son pouvoir de séduction. Son orthographe était déplorable, ses connaissances littéraires nulles. Elle ne manquait cependant pas de finesse d'esprit ni de sens pratique. Elle détestait l'effort et les responsabilités. Alors qu'elle était encore une fillette osseuse et dégingandée avec une tendance marquée à courir les pieds en dedans, elle avait mis au point un système de défense ingénieusement conçu. Il consistait à culpabiliser Charlie en lui laissant croire qu'elle était paralysée par les dons exceptionnels de son frère. Julien, sans se donner de mal, impressionnait ses professeurs. Lola, du coup, ne foutait rien à l'école : ce n'était pas sa faute, jamais elle ne pourrait faire aussi bien que lui.

Julien inventait des recettes culinaires sans matières grasses : elle se sentait honteuse devant un fourneau. Julien peignait, écrivait, passait brillamment l'audition du cours d'art dramatique Charles-Dullin : jamais Lola ne serait capable, elle, d'envisager une carrière. Commentant la paresse incurable de sa fille, Charlie répétait : « Cette petite est traumatisée par son frère. » Julien n'était pas dupe de la comédie jouée par Lola. Cela l'amusait. Il disait d'elle : « C'est une surviveuse. »

Lola connaissait l'appartement des Leroy, avenue Emile-Deschanel, dont les fenêtres du salon donnaient sur le Champ-de-Mars. Elle s'y était rendue, pour la première fois, en compagnie de Philippe. C'est là qu'elle avait rencontré Léon.

Aujourd'hui, assise sur la bergère Louis XV, elle regardait la tour Eiffel. Elle n'y était jamais montée et se demandait combien de temps il avait fallu pour construire cette énormité. La phrase de Léon l'atteignit à froid, par surprise. Elle se réjouit qu'à cet instant il ne pût voir son expression.

Léon avait dit :

— Lola, veux-tu être ma femme ?

En une seconde, avant même de se retourner, elle avait pris sa décision. Elle serait Mme Léon Leroy.

— Est-ce que tu es fou ? dit-elle. On se connaît depuis un mois.

— J'ai vingt-six ans, dit Léon en lui prenant les mains. Je sais ce que je veux et je sais ce que je fais. Et je sais depuis un mois que tu es faite pour moi.

« Et toi pour moi ? » pensa-t-elle.

Léon lui embrassa les doigts.

« Hier soir, il me filait un patin dans la voiture.

Aujourd'hui, c'est la minute romantique. » Puis elle imagina la réaction de Julien la voyant debout, au milieu du salon bourgeois, demandée en mariage par un jeune homme bien cravaté, qui lui bécotait les doigts avec passion et délicatesse. « Il hurlerait de rire. » Elle avait elle-même envie de rire. Léon crut que les larmes de l'émotion lui montaient aux yeux. « Qu'elle est belle, bouleversée... » pensa-t-il. Pratique, Lola considérait les aspects positifs de la situation. « Il me plaît physiquement, il est tendre, il est riche. Il est un peu vieux jeu et s'appeler Mme Léon, ce n'est pas très romantique... Mais qui veut tout n'a rien, comme dirait Florence. »

— Je crois que je t'aime, Léon, mais j'ai un peu peur. Je ne suis pas comme toi... Je veux dire... Je ne connais pas la vie.

— Tu as besoin de réfléchir ?

— Ben... Non, pas de réfléchir. Plutôt de m'habituer à l'idée.

Elle pensa à ce que dirait Florence : « Ma fille, il faut battre le fer quand il est chaud. » Cette fois elle ne put retenir un grand éclat de rire. Elle se reprit aussitôt.

— Excuse-moi, je suis un peu nerveuse.

— Je comprends, dit Léon. Ne t'inquiète pas. Nous en parlerons à maman quand tu seras prête.

Ils dînèrent agréablement dans un restaurant de marché noir, quai Voltaire. Léon la raccompagna vers minuit et ils s'embrassèrent longuement sur le siège avant de la Talbot.

Lola était un peu saoule et heureuse. Elle avait oublié de poster la lettre de Julien.

A 9 heures, le lendemain, le téléphone sonna. Julien et Lola dormaient. Florence, toujours matinale, était sortie faire le marché. Charlie qui prenait son café noir dans la cuisine se dirigea vers le salon et décrocha le récepteur.

La communication était pour elle. Elle écouta la voix inconnue qui lui parlait. A plusieurs reprises elle répéta : « Oh, mon Dieu... » Elle nota un nom et une adresse sur le cahier d'écolier posé à côté du téléphone. Quand, finalement, elle raccrocha, ses yeux étaient emplis de larmes. Elle resta assise plusieurs minutes. Puis elle cria les noms de ses enfants. Julien et Lola furent près d'elle en quelques secondes. Ils avaient compris au son de sa voix qu'un événement grave venait d'arriver.

— C'est Gérald..., dit Charlie. Il est porté disparu.

Maîtrisant ses sanglots, elle expliqua à ses enfants ce qu'elle venait d'apprendre.

Gérald n'avait pas été envoyé à Londres comme il le pensait, mais affecté à titre temporaire, en tant que civil, aux services de transmission d'une unité motorisée. Au cours d'une contre-attaque, près de Saint-Roman, les services d'intendance où travaillaient les auxiliaires civils avaient été pratiquement pulvérisés par l'artillerie allemande. Gérald Lorrimer se trouvait parmi les disparus. Le lieutenant Nichols, un ami d'enfance de Gérald, avait tenu à prévenir personnellement sa femme.

Sans trop y croire eux-mêmes, Julien et Lola avaient fini par convaincre leur mère que Gérald était peut-être simplement blessé.

— Le bordel dans l'armée, c'est connu, lui dit Julien. On l'a évacué sur un hôpital, à l'arrière et, comme il n'était pas officiellement engagé, personne n'a pensé à prévenir son unité.

— Mais lui y penserait, répondit Charlie.

— Et alors ? Il a donné son nom et la fiche se trouve avec une tonne de paperasserie dans un bureau quelconque.

Charlie était une femme courageuse et une femme d'action. Elle prit sa décision sur-le-champ. Elle allait partir pour Saint-Roman. Nichols l'avait prévenue que le trafic ferroviaire n'était pas rétabli pour les civils. Qu'importe, elle prendrait son vélo. Depuis quatre ans, elle avait l'habitude des voyages à bicyclette. Julien proposa de l'accompagner.

— Si tu veux attraper une pneumonie, va carrément te jeter dans la Seine, dit Lola. Ça sera plus rapide et plus spectaculaire.

Elle se tourna vers sa mère.

— Charlie, je pars avec toi.

Son ton était sans réplique.

Julien la regarda avec surprise. Ils avaient fait des centaines de kilomètres à vélo depuis le début de la guerre. Lola suivait toujours, mais ne cessait jamais de râler. Elle détestait pédaler. « C'est tout de même une bonne fille », pensa-t-il.

Le voyage fut organisé en moins d'une heure. Charlie possédait des cartes Michelin de toute la France et ne se connaissait pas de rival pour établir un itinéraire. Saint-Roman se trouvait à 112 kilomètres de Paris. Sans imprévus, elles y arriveraient avant la nuit.

Une heure après le départ de Charlie et Lola, Florence rentra du marché. Elle chantonnait joyeusement, malgré les cinq étages sans ascenseur qu'elle gravissait à petites étapes de douze marches, avec arrêt buffet supplémentaire à chaque palier. (Arrêts durant lesquels elle grignotait un morceau de pain ou un biscuit. « Pour recharger les accus. »)

— La chasse est maigre, dit-elle à Julien. Ils ne servent même plus les tickets de viande.

Elle se dirigea vers la cuisine, fredonnant sa chanson favorite :

> *Il s'appelait BOUDOU BADABOU*
> *Il jouait d'la flûte en acajou*
> *Dans tout Tombouctou*
> *On répétait partout*
> *BOUDOU BADABOU...*
> *BOUDOU BADABOU...*

Avant la reprise du second couplet, Julien lui apprit la nouvelle :

— Gérald est porté disparu.

— Porté où ?

— Porté disparu...

Quand elle finit par comprendre, les jambes lui manquèrent et Julien l'aida à s'asseoir. Il lui donna les détails.

Les premiers mots de Florence furent :

— Jamais deux sans trois.

— Qu'est-ce que ça veut dire ? s'inquiéta Julien.

— Ta maladie, maintenant Gérald, ça va être mon tour. Un malheur ne vient jamais seul.

Florence pouvait passer d'une indécrottable insouciance au pessimisme le plus noir sans aucune transition. Elle ignorait les sentiments en demi-teinte. Convaincue de sa mort imminente, elle se retira dans sa chambre et ferma la porte à clé.

A 6 heures, le Dr Lacroix arriva pour sa partie d'échecs.

— Comment te sens-tu, mon garçon ?

— Moi, ça va, dit Julien. Mais le reste de la famille… Je ne sais pas. Mon beau-père est porté disparu, ma grand-mère attend la mort dans sa chambre, enfermée à double tour. Quant à ma mère et ma sœur, elles sont parties pour le front à bicyclette.

VI

Dès minuit le quartier des Halles s'animait. Tout était couleur : fruits, légumes, bœufs écorchés (plus Soutine que nature) et les joues des forts des Halles, tirant du rose au pourpre. Symphonie colorée des voix, des chariots, des moteurs de camion dont certains tournaient encore au gazogène.

De la rue du Louvre au boulevard de Sébastopol, de Rivoli à Réaumur, de minuit au lever du soleil, c'était le cinéma.

Milady — volailles et produits laitiers — pissait debout, pied gauche sur le trottoir, l'autre sur l'asphalte. Elle aperçut Gérald Lorrimer qui descendait d'un camion de primeurs. 4 heures sonnaient au clocher de Saint-Eustache.

— Hé, Membre-d'or ! s'écria Milady. Tu te dévoyes ? Pas sérieux pour un architèque.

Deux mois plus tôt, Milady, qui venait d'hériter d'un rez-de-chaussée de trois pièces, avait proposé à Gérald de lui donner quelques idées de décoration. Le salaire était une douzaine d'œufs, et l'urbaniste de génie avait sauté sur l'aubaine.

— Votre chambre est au nombre d'or, avait-il remarqué.

— Ombre d'or ? T'as vu les murs ?

— Le nombre d'or est un rapport harmonieux entre le volume et la surface.

— Harmonieux ? Vas-y, esplique, avait demandé Milady.

— Les Grecs construisaient leurs temples en respectant le nombre d'or.

Milady avait éclaté de rire.

— V'la qu' j'ai hérité d'un temple grec !

Depuis, elle n'appelait plus Gérald que « Membre-d'or ».

— J'ai un moment, dit-elle à l'architecte. Je t'offre un pot.

Gérald décida qu'un verre de cognac serait le bienvenu après son voyage de six heures, perché sur des cageots d'épinards. Il suivit Milady jusqu'au bistro du coin pompeusement baptisé : *Au relais des ducs.*

Le verre de cognac fut suivi d'un autre, puis d'un autre encore. Gérald racontait son départ pour le front et les raisons de son retour imprévu.

— L'intendance m'a refilé ce pantalon et une chemise de G.I. Ça ne fait pas très martial.

— Mar... quoi ?

— Ça ne fait pas très guerrier.

— T'avais des armes ? Genre fusil mitrailleur ou tromblon ?

Gérald sourit.

— Non. J'étais affecté au téléphone de campagne.

— Je vois, fit Milady. Tu t'engages pour le bâton de maréchal et tu termines demoiselle du téléphone.

Cette idée la mit en joie et elle commanda une nouvelle tournée.

— Continue… La colonne était bloquée sur le pont et fallait que tu pisses…

— Oui. Une urgence.

— Tu connais la différence entre les chiottes et le cimetière ? Y en a pas. Quand faut y aller, faut y aller !

Milady hurlait toujours de rire à ses propres plaisanteries, bonnes ou détestables. Quand elle fut calmée, Gérald poursuivit son récit.

— Le temps de reboutonner et de revenir jusqu'au pont, la colonne était partie. J'ai essayé d'arrêter une jeep. Les gars ne faisaient pas attention à moi. Une heure plus tard, j'ai coincé un motard de liaison. Il n'avait pas la moindre idée sur le prochain cantonnement de mon unité.

Gérald vida son quatrième cognac.

— Le héros n'avait plus qu'à faire demi-tour et rentrer gentiment à la maison. Autant pour le bâton du maréchal !

— En somme, t'es déserteur ?

— Les auxiliaires civils ne peuvent pas déserter. Ce ne sont pas des militaires.

— Alors ne t'en fais pas, Membre-d'or. Si ça se trouve, cette envie de pisser t'a sauvé la vie.

L'arrivée de Séverine, sœur cadette de Milady, dérangea le cours de la conversation. Séverine était une grande perche à l'air perpétuellement ahuri. Sa bouche charnue, ses yeux ronds donnaient à son visage quelque chose d'enfantin qui n'était pas sans charme. Pour 50 francs, on avait accès à la chambre qu'elle louait au mois à l'hôtel des Voyageurs. « Elle fait ça à temps libre. Rien à voir avec les professionnelles », expliquait Milady, parfois gênée de la réputation de sa cadette.

Cette nuit-là, ou plutôt ce matin-là, Séverine portait un feutre qui tombait sur les yeux.

— Tu ne devineras jamais pourquoi cette idiote se balade depuis deux semaines avec son « Garbo », dit Milady.

Et comme Gérald, en effet, n'avait pas l'air de deviner, elle poursuivit :

— Juste avant le départ des boches, elle va à la visite. Son toubib lui explique qu'elle a des parasites. Façon polie de parler de ses morbacs. La Séverine croit qu'elle a attrapé des poux. Ni une ni deux, comme à la communale, elle se rase la boule à zéro. Manque de bol, deux jours plus tard, c'est la Libération. Bien sûr, t'as vu ce qu'on a fait aux salopes qui couchaient avec l'occupant ? Tondues et marquées de la croix gammée. Ma Séverine, elle, c'est une patriote, comme le reste de la famille. Elle n'a jamais approché un boche de toute la guerre et se faisait un sang noir pour sa réputation. Heureusement, elle s'est rappelé qu'on a un cousin, Jeannot, qui est peintre en bâtiment. Elle a été le trouver... Elle avait son idée.

Milady sa tourna vers sa sœur.

— Séverine ! Viens par ici.

Séverine s'approcha du bar et Milady la présenta à Gérald.

— Montre à monsieur l'architèque le travail de Jeannot. C'est un artiste, il va apprécier.

Séverine souleva son feutre et se pencha en avant. Sur le crâne où le duvet commençait à pousser, on pouvait voir, peinte en bleu clair, une superbe croix de Lorraine. Et au-dessous, ces mots : VIVE DE GAULLE !

Le soleil d'été attaquait les persiennes du salon quand Gérald sonna à la porte d'entrée. Florence était toujours cloîtrée dans sa chambre, pour conjurer le sort, et ce fut Julien qui ouvrit.

— Me voilà, dit piteusement l'architecte.

— Braex, Abrax, Badabrax !

C'étaient les mots codes entre Julien et son beau-père. Formule magique qui s'appliquait à toute situation inhabituelle. Quatorze années séparaient les deux hommes, pourtant, dès leur première rencontre, ils s'étaient plu. Une sorte de coup de foudre intellectuel et affectif. Gérald avait converti Julien aux délices du surréalisme. Biberon que le garçon tétait goulûment. Ils avaient mis au point un système philosophique appelé « La Machine à fonctionnement symbolique ». La Machine permettait d'éviter les angoisses politiques ou freudiennes et décidait des disputes familiales par l'absurde. Elle consistait en une association de mots accouplés dans le désordre qui, par le charme du rythme et de l'écho, était censé libérer l'homme de toute entrave logique.

La Machine à fonctionnement symbolique avait prouvé, en une occasion du moins, sa valeur pragmatique.

Un an plus tôt, au cours d'un contrôle de routine à la descente d'un train, un fonctionnaire autrichien avait posé à Gérald Lorrimer la question mortelle : « Religion ? » La réponse pouvait être « catholique », « protestant » ou « athée ». En général, on ouvrait la braguette du suspect pour vérifier le prépuce.

Gérald n'était pas juif, mais sa mère l'avait fait circoncire par raison d'hygiène. Pratique courante à l'époque aux Etats-Unis, mais tout à fait exceptionnelle en France dans les familles catholiques, et qui, ce 24 février 1943 en gare de Grenoble, pouvait être un passeport pour Buchenwald.

Sous le coup d'une inspiration subite, Julien avait répondu à la place de son beau-père : « Braex, Abrax, Badabrax. » L'Autrichien, étonné, ou peut-être pressé de retrouver sa maîtresse, les avait laissés passer. Badabrax, c'était trop compliqué pour lui.

Florence, reconnaissant la voix de Gérald, s'était précipitée dans l'entrée.

— Vous n'êtes pas mort ?

— Ben, non...

— Pour un porté disparu, il a bonne mine, constata la vieille dame.

Espérant se faire excuser, Gérald ouvrit le sac en papier qu'il tenait à la main. Il en sortit une livre de pâté de foie et trois bouteilles de Veuve-Clicquot.

— Pas de pain, c'est dommage, dit Florence. Ça ne fait rien. A la guerre comme à la guerre !

Trois heures plus tard ils étaient saouls et chantaient à tue-tête. Le téléphone sonna. C'était Charlie qui appelait du bureau de campagne d'un colonel américain. Gérald décrocha. Il dit : « Allô », écouta un instant la voix dans l'écouteur et se tourna vers Julien :

— Elle dit que je ne suis pas à l'hôpital et qu'il n'y a pas eu de prisonniers. Elle dit que je suis mort.

Il tendit le récepteur à Julien.

— Explique-lui...

VII

Julien comparait le processus quotidien du réveil à une forme abâtardie de naissance. Il détestait quitter la matrice du sommeil. Ce matin, comme chaque matin, il chercha son dernier rêve, à tâtons, par instinct, l'accrocha, le laissa filer. Un instant, le souvenir d'un souvenir lui rendit l'espoir de cet univers délicieux où la logique perdait ses droits, où la peur, l'aventure ou l'amour s'endormaient au réveil.

La vie au présent, une fois encore, gagna ce bref combat. Julien ouvrit les yeux et considéra, morose, le potentiel de cette nouvelle journée. « Comment s'appelle la pute, ce matin ?... Ah oui, Mardi. »

Il se leva et retomba sur ses fesses ; la tête lui tournait. « J'espère que Lola n'a pas fini le lait Nestlé », pensa-t-il. Quelques minutes plus tard, il retrouva la boîte de lait concentré dans la poubelle. Il maudit le nom de sa sœur et but son café noir. Ce qui lui donna envie de fumer. Il partit à la recherche d'un paquet de Camel.

L'appartement était vide.

Gérald avait repris son travail à l'étude Le Corbusier. Florence courait les boutiques d'alimentation rue Montorgueil. Julien se souvint que Charlie et Lola se trouvaient à la mairie du Ve. La future Mme Leroy avait besoin d'un extrait de naissance.

Julien dénicha dans l'un des sacs à main de sa sœur un paquet de Camel aux deux tiers vide. Il renversa le sac, espérant trouver des allumettes. La lettre adressée à Sophie et qui n'avait pas été postée tomba sur le lit.

— Quelle peau de vache ! dit-il à haute voix.

Il comprenait maintenant le silence de Sophie et décida de se rendre quai d'Orléans. Il s'expliquerait, serait pardonné, il la prendrait dans ses bras. Ils s'embrasseraient, ils riraient.

Julien s'habilla en hâte.

Il descendait l'escalier de la station de métro Etienne-Marcel quand il réalisa qu'il avait oublié de se chausser. Il était en pantoufles.

Le Dr Lacroix l'avait mis en garde : « Pas de balades avant dix jours. C'est le temps des rechutes. »

Julien sifflota l'air connu, remplaçant dans sa tête un mot par un autre : « Quand nous chanterons, le temps des rechutes, au gai rossignol et merle moqueur... » Il se sentait bête et optimiste.

Assis face à lui, sur le siège en bois des secondes, un bourgeois de Paris lisait *Le Figaro*. A l'envers, Julien déchiffra le titre de la première page : PÉTAIN ET LAVAL ARRIVENT À SIGMARINGEN. Il l'avait haï, ce noble vieillard, le vainqueur de Verdun, accrochant ses décorations à chaque cent mille cadavres. Il avait chanté à la communale :

Maréchal, nous voilà, devant toi, le sauveur de la France,
Nous jurons, nous, tes gardes, de servir et de suivre tes pas...

Il avait pleuré, ce qui était rare, quand les miliciens du Sauveur de la France avaient rôti son ami François dans une ferme savoyarde. Il pensait : « Je vais retrouver la fille que j'aime et toi, le vieillard décoré, tu vas vers l'exil et le banc des assises. » Il était heureux de n'éprouver aucun sentiment de haine à l'heure de la revanche.

L'homme assis en face de lui, étriqué dans un costume bleu rapé aux épaules et aux manches, releva ses lunettes et se frotta discrètement les yeux.

Il pleurait.

Le drap de velours noir qui habillait sinistrement la porte du 14, quai d'Orléans était marqué de la lettre « S », brodée en fil d'argent.

« Sophie est morte », pensa Julien.

De 10 heures à 17 heures, le courant était coupé et l'ascenseur en état d'hibernation. Julien s'engagea dans l'escalier. Encore faible, l'estomac noué, la tête vide, il perdit le compte des étages.

La porte de l'appartement, face à l'ascenseur, était ornée du même velours noir. Il frappa et tourna la poignée.

La morte reposait sur le lit de la chambre à coucher. Les rideaux étaient tirés et les bougies jouaient d'ombres et de lumières sur le visage pétrifié. La pièce était vide.

Du salon parvenaient les murmures des voix compassées et le bruit de fourchettes heurtant la porcelaine. On était triste, mais on n'avait pas perdu l'appétit.

La morte avait du poil à la lèvre supérieure, une

verrue sur le nez et la peau des mains si fripée qu'elles paraissaient vivantes. « T'as pris un coup de vieux, Sophie », pensa Julien qui retenait mal une gigantesque envie de rire.

— Excusez-moi, madame, dit-il.

Il ressortit sans bruit de l'appartement.

Mme Ségur était une femme comblée. Dieu l'avait comprise. Sa fille, égarée un instant, lui revenait. L'épreuve imposée par la tendresse du Seigneur était pénible mais nécessaire. Après l'opération prévue par le Pr Armand, Sophie retrouverait ses jambes — et la foi. Mme Ségur, elle, avait retrouvé sa raison de vivre. Son vieux corps de bigote supportait la fatigue avec allégresse. Elle avait rajeuni de dix ans en une semaine.

— Maman, le bassin...

Mme Ségur prit l'objet en zinc de forme ovale et le glissa sous les fesses de sa fille.

— Ça ne sent pas la rose, dit Sophie.

Quelqu'un frappait à la porte d'entrée.

— Je reviens, chérie, dit Mme Ségur.

Julien se tenait dans l'encadrement de la porte, pâle, très beau. L'image d'un archange. La tradition catholique n'accordant pas aux anges le privilège d'être brun, Mme Ségur ne vit en Julien que l'incarnation d'un redoutable anarchiste échappé du théâtre voisin.

— Que voulez-vous ?

— Voir Sophie.

Mme Ségur aurait voulu expliquer au jeune homme que Sophie était sauvée. Dieu maintenant la protégeait du désordre. Dieu l'avait choisie. Julien était la tentation, le reflet d'un monde auquel elle avait miraculeusement échappé. Il devait repartir. La laisser en paix. Mais les mots ne venaient pas. Elisabeth Ségur n'avait jamais su s'exprimer.

— Sortez ou j'appelle la police, dit-elle.

— Vous n'avez pas de téléphone.

Julien s'avança au milieu du salon.

— Laissez-la tranquille, supplia Elisabeth. Elle ne veut plus vous voir.

— J'ai eu la rougeole, dit Julien.

— A votre âge ? Vous pourriez trouver une meilleure excuse.

Julien regardait le crucifix, au-dessus de la cheminée, entre le portrait du commandant Ségur et la photo de Sophie, à douze ans, en robe de communiante.

Une voix parvint de la chambre à coucher.

— Qui est-ce, maman ?

— Rien. Un garçon de courses.

Julien courut vers la porte.

— Sophie, c'est moi. Ta mère ne veut pas me laisser te parler.

Mme Ségur attrapa Julien par un bras. Ils restèrent l'un en face de l'autre, immobiles, le jeune homme hésitant à bousculer la vieille dame.

Il y eut un hurlement hystérique venant de la chambre à coucher. Lorsque Sophie retrouva l'usage de la parole, elle cria :

— Va-t-en ! Laisse-moi ! Maman, je t'en supplie, dis-lui de partir.

Julien se sentait un étranger dans cet appartement où tout exsudait la médiocrité.

— Où est le commandant Ségur ? demanda-t-il.

— En Lorraine, avec son régiment.

Avant de sortir, Julien prit la main de Mme Ségur, qui resta figée.

— J'ai été malade. Je n'ai pas pu revenir à l'hôpital. Expliquez-le à Sophie... S'il vous plaît.

L'espace d'une seconde, quelque chose qui ressemblait à de la compassion passa dans les yeux d'Elisabeth Ségur.

— Je lui dirai.

Elle referma la porte.

Sophie pensait à son sexe, vivant, exigeant, prisonnier de ses jambes de coton, de ses jambes vers de terre. La peau des fesses prenait feu sur le métal du bassin. Quand elle avait entendu la voix de Julien, l'odeur d'excréments baignant la chambre, infestant les rideaux l'avait affolée. Surtout qu'il parte, qu'il ne la voie pas, répugnante, décoiffée, puante, punaisée à son matelas. Maintenant, cette charogne, son corps, désirait Julien. Un baiser. Un seul baiser. Un baiser sur sa bouche. Un baiser sur ses seins. Un baiser sur son sexe. Comme c'était ridicule d'avoir accepté Philippe Leroy dans le rôle du prince de *Léocadia* pour une paire de rideaux. C'est Julien qui aurait dû jouer le prince. Julien que je hais, que je ne hais pas, qui se moque de moi, pourquoi m'a-t-il abandonnée ? Il est venu ce soir. Mais il n'est pas resté. C'est vrai, je l'ai chassé. Il n'aime que Louis-Ferdinand Céline et Mark Twain. Je ne ferai jamais l'amour avec lui. Cette chambre pue. Maman dit que Dieu est bonté, Il est amour et reconnaît ses brebis, Il châtie ceux qu'Il a décidé de sauver. Julien m'a dit que Dieu a oublié l'enfance depuis que Son Fils, Jésus, est né adulte. Son chemin de croix n'a duré que six heures, ils en font une tartine. Et ceux qui sont morts en dix jours, en mille jours, qui sont-ils, des super-Christ ou des imbéciles ? Je n'ai pas le courage de répéter ça à ma mère. Depuis que je suis morte, elle existe, elle s'épanouit. Elle, Dieu, et moi. « Le parfait ménage à trois », dirait Julien. Dieu m'ennuie, je suis paralysée, je hais Julien, je pleure à peine et j'ai toujours envie de faire pipi. Non, je ne hais pas Julien. Je l'ai chassé. Il ne reviendra plus. Je vais dire à maman que j'aime le Bon Dieu pour qu'elle enlève ce bassin qui me brûle les fesses.

Plus tard, Sophie eut cette image d'elle-même : papillon épinglé sur la planche d'un Dieu amateur de martyrs. « Je ne pourrai plus jamais dormir », pensa-t-elle.

Et elle s'endormit.

La chair et l'esprit, alliés dans le malheur, s'étaient anesthésiés.

Julien savait que Charlie s'inquiétait à l'idée de son fils, encore en convalescence, traînant dans les rues, mais il ne trouva pas le courage de lui téléphoner. Elle allait poser des questions et il ne voulait pas parler de Sophie. Il prit un ticket à la caisse du cinéma Saint-Paul. Il vit *King Kong* et, pour le même prix, *Les Trois Lanciers du Bengale*. A 6 heures, il s'endormit sur un banc du square Saint-Jacques. A minuit, il traînait sur les quais de l'île Saint-Louis, songea un instant à forcer une seconde fois la porte de l'appartement des

Ségur, mais renonça vite à son projet. Il se dirigea vers le théâtre Sarah-Bernhardt.

L'immense scène était vide, sombre, amicale et maternelle. Julien avait allumé le plafonnier. Il s'assit, les jambes dans le trou du souffleur. « Un jour je vais vivre mon rêve, pensa-t-il. Ils seront là, debout, à m'applaudir. Le rêve d'un rêve, dans le rêve de gens qui rêvent. Où commence la vie ? Ils vont saluer un homme qui ne sera qu'une image de lui-même. Ils vont couronner un acteur. »

Julien se mit debout.

— « Et je ne hais rien tant, déclama-t-il, que tous ces grands faiseurs de contorsions, ces affables donneurs d'embrassades frivoles... »

Du *Misanthrope*, il passa à Iago. Et de Iago à Perdican, de Perdican à François Villon et de Villon à Louis-Ferdinand Céline. Il connaissait par cœur la troisième page de *Mort à crédit*. Il s'arrêta au milieu d'une phrase, imaginant la réaction du public : « Les voilà qui se dressent sur leurs jambes et me conspuent, et sifflent et hurlent à l'unisson — mort à Céline ! Le raciste ! Le collaborateur ! Ces cons qui ne savent pas qu'ils sont eux-mêmes racistes. Demain ils tueront de l'Arabe, du Jaune, du Noir, comme les libérateurs venus d'outre-Atlantique ont tué du Peau-Rouge... »

Le petit appartement qui avait servi de loge à Sarah Bernhardt au début du siècle et reçu tant de célébrités — auteurs dramatiques, princes, rois, reines, vedettes du théâtre et de l'opéra, journalistes, politiciens — était maintenant occupé par Charles Dullin. Il y couchait parfois, après la dernière représentation, trop fatigué pour rentrer chez lui.

Le vieil acteur qui avait, avec Pitoëff et Copeau, révolutionné l'art dramatique entre les deux guerres connaissait si bien son théâtre que les murs centenaires étaient devenus une sorte de prothèse géante reliée à son propre système nerveux. A peine audible, la voix de Julien l'éveilla.

Il se leva, enfila ses pantoufles, noua un châle sur ses épaules et se dirigea en chemise de nuit vers la porte de fer qui donnait sur la scène, côté jardin.

Julien récitait le monologue du troisième acte de *Chatterton* et n'entendit pas Dullin qui s'était immobilisé dans l'ombre du décor.

Dullin écoutait, interdit, la performance de son jeune élève. A la fin de la tirade il demanda :

— Est-ce que tu es fou ?

Le ton n'était pas agressif, plutôt admiratif.

— Pardon, monsieur, dit Julien. Je ne voulais pas vous déranger. Je pensais que j'étais seul.

Dullin caressa d'un geste qui lui était familier ses joues osseuses, sculptées par les passions des milliers de personnages auxquels il avait prêté son visage. Il s'avança au milieu de la scène et s'assit sur un fauteuil au monumental dossier élisabéthain. Il avait joué le soir même *La vie est un songe* de Calderón et le décor était toujours en place.

— Pourquoi es-tu ici ? demanda-t-il.

Paniqué, Julien cherchait une excuse à la mesure du sacrilège qu'il avait commis.

— La femme que j'aime est morte, dit-il.

Dullin ne s'attendait pas à cette explication. Il resta un instant interloqué puis, d'un geste fataliste de la main :

— Alors... Si elle est morte !...

Le silence se prolongeait.

Julien n'osait pas bouger.

Dullin aimait ce garçon dont la personnalité l'amusait et le déroutait à la fois. Il le regardait comme il aurait observé un mutant ou un animal bizarre arrivé de la planète Mars.

— Tu as du talent. Du talent. Mais je ne te comprends pas.

— Moi non plus, monsieur Dullin.

Les lèvres minces du vieil acteur se détendirent — le sourire de Dullin était inimitable. Il se leva et fit quelques pas vers le proscenium. Il montra d'un geste du bras les fauteuils vides.

— Est-ce que tu les aimes ?

Julien comprit que le Maître pensait aux spectateurs. Aux fidèles, aux amoureux du mirage de la scène, au public qui, trois heures plus tôt, avait empli, de l'orchestre au poulailler, la grande salle aux dorures écaillées.

— Je ne sais pas, répondit-il. Je crois que je n'aime pas être jugé. Quand ils me regardent, je me sens gêné, impudique. Avez-vous rêvé que vous marchez dans la rue sans pantalon, habillé seulement d'une chemise trop courte... Les passants vous observent et vous n'avez rien pour cacher votre cul.

— En scène, nous sommes tous nus, dit Dullin. Notre vêtement, c'est la lumière de la rampe et la lumière venue des herses et des projecteurs... Dis-moi, mon garçon, aimes-tu le théâtre ? Ce n'est pas assez d'être un bon acteur. Il faut aussi aimer le théâtre. Est-ce que tu aimes le théâtre ?

— J'aime ce théâtre, dit Julien.

La porte des coulisses qui s'ouvrait brusquement leur fit tourner la tête. Mme Jolivet, la compagne de Charles Dullin depuis trente ans, faisait son entrée. Elle portait un manteau de fourrure en queues de ragondin. Ses cheveux colorés au henné échappaient en mèches désordonnées à l'étreinte du bonnet de nuit en dentelle d'Alençon. Elle éclata de rire.

— Pourquoi riez-vous ? demanda Dullin, fâché.

— Vous êtes tous les deux en pantoufles !

Cette image l'avait mise en joie. Mme Jolivet était, en jargon de théâtre, une rondeur. Son visage conservait sous la graisse l'empreinte de sa beauté d'antan. Négligeant ses 200 livres, elle usait ingénument d'un charme qui, depuis deux décennies, n'était plus qu'une illusion. Elle se croyait irrésistible et ne résistait à personne. Chatoyante, transparente sous le manteau de queues de ragondin qui s'ouvrait à chaque pas, elle embrassa Julien.

— L'enfant doit dormir, dit-elle. Il est tout pâle.

Elle attrapa Dullin d'un bras et l'entraîna jusqu'à la loge de Sarah Bernhardt.

Resté seul, Julien réalisa à quel point il était épuisé. Il éteignit le plafonnier. A la seule lumière de la veilleuse, le décor de *La vie est un songe* semblait démesuré. Hanté. Julien pensa à Sophie. A leur premier baiser dans le couloir sinistre. Son corps contre lui. Ce corps qui cherchait, qui l'enveloppait. L'os du pubis contre sa cuisse. Ce désir insensé de vivre, cette gloutonnerie de plaisir. Et, comme au cinéma, en surimpression, le cri de Sophie enfermée dans sa chambre : « Je t'en supplie, maman, dis-lui de partir ! »

Il voulait pleurer. La fatigue était trop grande. Il fallait maintenant quitter le théâtre, traverser la place du Châtelet, remonter le boulevard de Sébastopol jusqu'à la rue Etienne-Marcel et, pour finir, les cinq étages à pied. « Jamais je n'y arriverai », se dit-il.

Julien s'était arrêté dans un café des Halles pour appeler sa mère. S'il devait affronter une scène il préférait la médiation anonyme du fil de téléphone. Charlie était morte d'inquiétude mais ne se fâcha pas, soulagée de le savoir en bonne santé.

Quand il ouvrit la porte de l'appartement, elle l'embrassa et lui fit promettre, à l'avenir, de ménager son cœur. Persuadée qu'il s'était évanoui sous les roues d'un camion en traversant une rue, elle avait téléphoné à tous les hôpitaux de Paris.

En passant devant la chambre de sa sœur, Julien perçut un bruit inhabituel. Il crut d'abord que Lola riait, s'arrêta pour écouter et comprit qu'elle pleurait. Il entra dans la chambre.

La jeune fille était assise sur le plancher de bois ciré, au pied du lit, en culotte et les seins nus. Elle reniflait bruyamment, les yeux rougis de larmes.

Lola ne se perdait jamais en détails liminaires. Elle aborda le vif du sujet quand elle aperçut son frère.

— Je suis idiote et analphabe.

— Analphabe ? Qu'est-ce que tu veux dire ?

— Analphabe, répéta Lola. Une personne qui n'aime pas l'argent...

— Lola, une personne analphabète est une personne qui ne sait ni lire ni écrire. Ça n'a rien à voir avec l'argent.

— Pas pour Léon... Pour Léon, si on ne respecte pas l'argent on est analphabe.

— On peut tout te reprocher sauf de ne pas aimer l'argent, remarqua Julien.

— J'aime l'argent, mais je ne le respecte pas. C'est ce que m'a dit Léon. On n'est pas encore mariés et déjà il m'insulte. Je me sens misérable, humiliée, déshabillée...

Julien savait décoder le vocabulaire de sa sœur. « Déshabillée » voulait dire sans défense, vulnérable.

— Analphabète, ce n'est pas exactement une insulte, dit-il. Plutôt une façon de parler.

— Peut-être, mais ça m'a fâchée, je me suis mise en colère et on s'est disputés.

Il prit Lola par un poignet, la mit debout, l'embrassa et l'aida à se glisser entre les draps. « Elle a vraiment de jolis seins », pensa-t-il.

Lola ne lâchait pas sa main.

— Reste avec moi, pria-t-elle. Je sais que je suis idiote. Je devrais être heureuse. Je ne sais pas ce qui m'arrive...

— Tu ne veux plus te marier ?

— Si.

Elle cessa de renifler et ajouta avec force :

— Je veux me marier.

Elle s'essuya les yeux avec le bord du drap.

— J'ai une trouille bleue.

Julien enleva son pantalon et entra dans le lit. Il posa une main sur l'épaule nue de Lola. Elle se retourna, se plia en chien de fusil, les fesses contre les cuisses de son frère. Elle allongea un bras et éteignit la lampe de chevet.

Dans le noir, Julien demanda :

— Tu dors ?

— Oui.

— Moi aussi.

Epuisés, ils sombrèrent aussitôt dans le sommeil.

Elle avait peur.

Il était triste.

VIII

L'arrestation de Sacha Guitry pour collaboration était commentée par les élèves du cours Dullin. Les différentes positions, chacune défendue avec passion, reflétaient assez fidèlement les déchirements de l'opinion nationale en ce début d'automne 1944.

Aux beaux jours de l'été, la France avait confondu Libération et victoire. En moins de deux mois, l'exaltation lyrique suscitée par une épopée unique dans l'histoire des Français céda la place à la frustration ou au désenchantement. La gauche et l'extrême gauche voyaient le pouvoir leur échapper, la droite s'inquiétait de la modération du gouvernement provisoire face aux communistes et aux organisations populaires paralégales issues de la Résistance. La guerre, que l'on croyait gagnée, s'enlisait. Les Allemands partis, on s'attendait à manger à sa faim. Pourtant, la viande, le pain, le lait se faisaient plus rares que jamais. Malgré la disparition de l'occupant et des collaborateurs les plus notoires, c'était finalement toujours les mêmes qui fréquentaient les restaurants de marché noir.

Comme le reste de leurs compatriotes, les jeunes élèves du cours Dullin se trouvaient divisés sur le problème de l'épuration. Pour la majorité, la justice était molle, la répression insuffisante. Les modérés prêchaient le pardon et la réconciliation nationale. Qu'on fusille seulement les responsables de tortures et de crimes de guerre. Qu'on laisse les Sacha Guitry en paix. On brandissait leurs têtes pour satisfaire une foule dont plus de la moitié avait crié « Vive Pétain ! » en 1940.

Certaines positions étaient plus ambiguës. Philippe Leroy, par exemple, gaulliste convaincu mais dont le père avait fait fortune en travaillant pour les Allemands, évitait un pénible conflit familial en se montrant farouchement anticommuniste. Pour lui, l'ennemi n'était plus le boche mais les Soviétiques. La guerre ne se terminerait pas à Berlin mais à Moscou. Eisenhower, et même De Gaulle se berçaient d'illusions. Les nazis écrasés, on allait tomber de Charybde en Scylla. Le Kremlin devait brûler ou les chars de l'Armée Rouge défileraient bientôt sous l'Arc de Triomphe.

— Patton ne s'arrêtera pas à Berlin ! répétait Philippe.

Le général américain était son héros.

— Les chars de Patton sont en plan depuis trois jours, faute de carburant, fit remarquer une fille.

Julien n'avait pas prononcé un mot. Il écoutait. Depuis quelque temps déjà il s'était rendu à l'évidence. Le futur n'était pas à la paix. La victoire enfanterait d'autres guerres, d'autres injustices. Le rêve avait fait long feu.

Zig-et-Puce, qui brandissait un numéro de *Combat*

du 21 août, réclama le silence. Il se mit à lire un article intitulé : « De la Résistance à la révolution. »

Julien, l'esprit ailleurs, enregistrait par moments quelques formules dont la démagogie naïve l'attristait : « ... véritable démocratie économique et sociale »... « grandes féodalités »... « élite véritable, non de naissance mais de mérite, et constamment renouvelée par les apports populaires »... « retour à la nation des grands moyens de production »...

— Qu'est-ce que ça veut dire, ce charabia ? demanda Marie.

— Ça veut dire que les travailleurs vont participer à la direction et à la gestion de toutes les entreprises.

— En quoi ça nous concerne ?

— Qu'est-ce que c'est qu'un théâtre ? s'écria Zig-et-Puce.

Pris par son rôle d'agitateur politique, il monta sur scène.

— Un théâtre c'est une entreprise commune. Que serait un théâtre sans les électriciens, les machinistes, les acteurs ?... Je propose de former un comité d'entreprise et d'aller trouver la direction.

— Pour quoi faire ? demanda Marie qui comprenait de moins en moins.

— Pour définir les bases d'un système de gestion prolétarienne. Nous voulons participer aux bénéfices du théâtre Sarah-Bernhardt.

Un éclat de rire général accueillit ces derniers mots. Ce n'était un secret pour personne que Charles Dullin jouait à cache-cache, nuit et jour, avec ses créanciers. Le théâtre sombrait sous les dettes.

Au même instant, Lucien Arnaud, collaborateur de Dullin, arrivait pour son cours.

— La bonne humeur règne ce matin, dit-il. Qui est le clown ?

Zig-et-Puce quitta la scène pour reprendre sa place parmi les élèves.

Le silence se fit.

— Michel, appela Lucien Arnaud. Est-ce que tu as retravaillé Courteline ?

— Oui, M. Arnaud.

— Bien. Qui te donne la réplique ?

— Marcel Marceau.

Julien aimait la façon absurde de Marceau d'interpréter le fou du *Commissaire est bon enfant*. Voûté, intense, bavant, le corps tourmenté, les bras foudroyant en tout sens d'invisibles ennemis. « Ce type est un gymnaste », pensait-il.

— Tu joues du Courteline, remarqua Arnaud. Tu n'es pas Smerdiakoff des *Frères Karamazov*.

La classe rit. Marcel Marceau, désolé, eut cette expression de tristesse mélancolique et figée qui plus tard deviendrait le masque célèbre de Bip.

Julien n'avait pas ri avec les autres. Son esprit revenait sans cesse à Sophie. Au cours des dernières semaines, il s'était risqué deux fois 14, quai d'Orléans. Elisabeth Ségur lui avait claqué la porte au nez. Avant de partir, Julien avait entendu le téléphone sonner dans le salon.

Le nouveau numéro des Ségur ne figurait pas à l'annuaire. Par un ami de Le Corbusier, sous-secrétaire d'Etat aux Armées, Gérald avait obtenu le numéro de téléphone du commandant Ségur. Cela n'aida pas Julien. Quand Elisabeth ne raccrochait pas dès son premier « allô », il obtenait la tonalité « occupé ». « Elle doit décrocher quand elle quitte l'appartement », pensa-t-il.

L'ange affamé

Il avait réussi à joindre le Pr Armand pour s'entendre dire qu'on ne donnait de renseignements d'ordre professionnel qu'aux proches parents ou au patient lui-même.

Pour la première fois de sa vie, Julien gagnait de l'argent. Ses emplois de gardien de vaches, d'apprenti bûcheron ou de vendangeur ne lui avaient rapporté qu'un salaire en produits de consommation. Il découvrait à seize ans les bienfaits du capitalisme. « Comme au temps de Zola », ironisait-il. Figurant dans *Le Roi Lear*, *Volpone* et *L'Avare* au tarif « élève », il amassait de quoi payer ses cours, circuler en métro et pouvait s'offrir deux fois par semaine un milk-shake au lait écrémé et un cornet de frites.

Il réfléchit au moyen de gagner de l'argent d'une façon moins fatigante. Il essaya de convaincre Philippe « d'emprunter » quelque tapisserie des Gobelins ou un livre rare dans l'appartement familial. Philippe trouvait l'idée excellente et même défendable d'un point de vue social mais ne pouvait s'y résoudre.

— Je vais à confesse une fois par mois, expliqua-t-il. Voler, même ses parents, ce n'est pas un péché véniel.

— Ce n'est pas non plus péché mortel.

— Je n'ai jamais enfreint le septième commandement.

— Tu as volé les rideaux du salon pour le décor de *Léocadia*.

— J'ai menti. Ma mère n'en voulait plus. Depuis que les communistes se baladent en vainqueurs dans les rues, elle déteste le rouge.

— Un petit effort, Philippe. Tu rembourseras quand tu auras hérité.

— Mon vieux curé ne s'en remettrait pas.

— Confesse-toi ailleurs.

— Donne-moi le temps d'y penser.

La tentation n'avait de charme pour Philippe que dans la mesure où l'on y résistait. « Rien à faire du côté des catholiques, conclut Julien. Il faudra que j'invente autre chose. »

Le 6 octobre, à midi, Lola pénétra dans l'appartement de la rue Etienne-Marcel avec l'aplomb d'un guerrier en territoire conquis. Elle laissa la porte d'entrée ouverte et ordonna à son frère :

— Ferme !

Plutôt amusé, Julien obéit.

Lola jeta son sac sur la table du salon et se laissa tomber sur le sofa, jambes écartées.

— Cigarettes !

Du doigt elle montrait le sac.

Julien lui apporta un paquet de Camel.

— Chaussures !

Elle leva un pied.

— Maman, cria Julien, tu as le téléphone du Dr Lacroix ?

Charlie, affolée, sortit de la cuisine.

— Qui est malade ?

— J'ai besoin de l'adresse d'un psychiatre. C'est pour Lola.

Charlie subodora qu'elle était, une fois de plus, victime d'une plaisanterie stupide de ses enfants.

— Tu n'es pas malade, Lola ?

— Non. Mais j'ai le droit de vote.

— Quel vote ?

— Le droit de vote. C'est dans *Le Journal officiel* de ce matin. Les femmes ont le droit de vote.

— Qui te l'a dit ? demanda Julien.

— Milady. Je l'ai croisée en sortant du métro.

— Tu crois ce que raconte Milady ?

— Je crois ce que je lis. Elle m'a montré le journal.

Après un interrogatoire serré, Julien et Charlie se rendirent à l'évidence. Lola disait la vérité.

— Peux-tu m'éclairer, citoyenne ? demanda Julien. Quel rapport entre le droit de vote et le fait que je ferme les portes pour toi, te fournis en cigarettes et t'enlève tes chaussures ?

— Le droit de vote, répéta Lola.

Julien se tourna vers sa mère.

— J'avais raison. Il faut appeler Lacroix.

— Le droit de vote, reprit Lola, c'est l'obligation légale, pour le plus grand nombre, d'emmerder le plus petit nombre.

— Ça, c'est du Léon, dit Julien. Ou du Philippe.

— Comme je suis le plus grand nombre, vu que je suis la plus encombrante, poursuivit Lola, j'ai le droit, grâce à De Gaulle et depuis ce matin 0 heure, d'emmerder mon cadet minoritaire qui se nomme, si mes souvenirs d'électrice sont bons, Julien Versois. Chaussures !

— La démocratie, c'est la démocratie, dit Julien.

Il se mit à genoux, retira les chaussures de Lola et lui mordit un orteil. Il avait fait mal et elle cria.

— Les minorités ont la dent dure, expliqua-t-il.

— De toute façon, on ne vote pas avant vingt et un ans, dit Charlie.

— Pas les femmes mariées ! triompha Lola. Samedi, je serai madame légale. Aux prochaines élections, je décide du président de la République et le chérubin, l'ouvreur de portes, le porteur de cigarettes,

92

l'enleveur de chaussures comptera sur ses doigts 17, 18, 19, 20, 21 avant d'aller voter. C'est le plus beau jour de ma vie !

Elle se leva.

— Le bonheur me donne toujours envie de faire pipi. Porteur !

Julien la souleva dans ses bras et l'emporta jusqu'aux toilettes.

Charlie n'appréciait pas la façon cavalière dont ses enfants célébraient cette grande victoire démocratique. Féministe convaincue et très idéaliste, elle pensait que le droit de vote enfin accordé aux femmes françaises méritait plus de respect. Le bruit de la chasse d'eau et les rires de Lola et Julien dérangeaient son éthique personnelle.

Mais elle aimait ces deux fous et décida de garder ses commentaires pour une autre occasion.

IX

A l'automne, les rues étaient toujours envahies de soldats américains qui se rendaient au front ou en revenaient pour une courte permission. Paris se cherchait un style, mais les différents quartiers de la capitale ne réagissaient pas à l'unisson.

Aux Champs-Elysées, le cinéma Normandie ne désemplissait pas, les terrasses des cafés étaient prises d'assaut, les girls de la revue du Lido agitaient la cuisse jusqu'à l'aube, mais il manquait quelque chose... Peut-être l'âme d'avant la guerre.

En revanche, le pouls des Grands Boulevards battait au rythme de la foule. Théâtres, cinémas, bistros, milk-bars, vendeurs à la sauvette jalonnaient les trottoirs, de la Madeleine à Strasbourg-Saint-Denis. Le quartier des Halles participait aussi à cette activité populaire mais ne s'éveillait réellement qu'à la nuit. Ses spécialités étaient plus matérialistes : la bouffe et la chair. La chair laissant à désirer. Les demoiselles de la rue Saint-Denis occupaient sans modestie le macadam mais n'étaient pas toujours appétissantes.

Le Quartier latin souffrait de rhumatismes. Pourtant, la vie reprenait dans les caves du Lorientais où les quatre temps du jazz avaient, eux aussi, passé l'Océan.

Saint-Germain-des-Prés, quelque peu schizophrène, abritait ses poètes, ses philosophes et ses anarchistes aux cafés de Flore et des Deux-Magots et ses bourgeois réactionnaires dans les appartements cossus, de la place Saint-Sulpice à la rue de Lille. Les intellectuels parlaient beaucoup, mais sans bruit. On allait bientôt parler d'eux. La paroisse, encore calme, couvait une révolution culturelle dont les médias du monde entier diffuseraient l'onde de choc. L'heure était proche mais n'avait pas sonné.

C'est à la butte Montmartre que se retrouvait le Paris gouailleur et chaleureux d'une époque disparue. Le petit village au sommet de la Ville lumière chantait, buvait, riait, réunissait au Lapin-Agile vedettes de la chanson, peintres, écrivains, artistes, millionnaires et clochards en une très démocratique fraternité. Là, chaque nuit, on effaçait la guerre.

Edith Piaf agitait le bras.

— Venez les enfants. Ce soir, j'invite.

Les gestes de la chanteuse, qui prenaient en scène une ampleur lyrique, devenaient saccadés et nerveux dans le civil. Elle était, cette nuit-là, d'humeur joyeuse et avait remarqué Lola, Julien et Philippe Leroy qui cherchaient sans succès une table, une chaise, un banc où s'asseoir. Ils acceptèrent l'invitation.

— Tu as l'air perdue, petite, dit Piaf à Lola.

— J'enterre ma vie de garçon, répondit la jeune fille.

La formule enchanta Edith Piaf.

— René ! cria-t-elle, du champagne pour la mariée.

Et retournant à Lola :

— Le mariage... Foutue besogne. Tu as peur ?

Lola fit « oui » de la tête.

— Tous les mêmes, dit Piaf. Tu dis « oui », tu leur appartiens. Ils ont droit au bébé, au café au lait, au lit, à la fidélité... Tu dis « oui » et tu transformes un amant en contrôleur des douanes.

Philippe se pencha vers Lola.

— Qu'est-ce qu'elle t'a dit ? murmura-t-il.

— Toi, le jaloux, dit Piaf, on ne t'a pas demandé ton avis.

Julien éclata de rire. Il rayonnait quand il riait.

— L'ange brun, c'est un ami ou un parent ? demanda Piaf.

— Mon frère, dit Lola.

La chanteuse regardait Julien. Le guitariste terminait sa ballade. Après les applaudissements, il y eut un silence.

— Dommage qu'il soit si jeune, dit Piaf.

D'autres célébrités et des amis arrivèrent à la table. Il y eut des embrassades, des rires, des confidences. Piaf avait oublié les trois jeunes gens.

Pour faire de la place, Philippe tenait Lola sur ses genoux. Entre deux refrains, il lui mordait le cou. Julien détestait chanter à l'unisson. Les activités de groupe, l'esprit scout le mettaient toujours mal à l'aise.

Ils quittèrent le Lapin-Agile à 2 heures du matin. Ils marchèrent de la Butte à la rue Etienne-Marcel. Philippe était très saoul. Il chantait, interpellait les soldats américains qui traînaient dans les rues, noyant son chagrin dans un déluge de mots.

La montée de l'escalier n'avait pas affecté son attaque de logomachie aiguë.

— Dans quarante-huit heures, je serai beau-frère officiel, légalisé à la mairie, homologué en l'église de Saint-Sulpice. Avec un sourire dévot et ma tendance à l'hypocrisie, j'embrasserai la mariée tandis que ma main gauche, ignoble, cherchera son chemin sous les frous-frous de la robe immaculée.

En discourant, il passait de la théorie à la pratique et, sous prétexte d'aider Lola à monter les dernières marches, il exerçait sur les fesses de la jeune fille une pression de bas en haut qui n'était que très indirectement inspirée du principe d'Archimède.

Lola ne s'en formalisait pas et riait de bon cœur.

Arrivé au palier du cinquième, on chercha les clés dans le sac de Lola, les poches de Philippe et de Julien. En vain. Il fallut sonner.

Gérald ouvrit.

— Je m'habille et vous rejoins, dit-il. Où va-t-on ?

— Hélas, monsieur, répondit Philippe, nous sommes dans un état indescriptible. Nous cherchons refuge et n'avons rien à offrir.

— Nous sommes cuits, dit Lola. Nous sommes bourrés comme des huîtres polonaises. Nous cherchons un lit. Nous cherchons l'oubli...

Elle se dirigea vers sa chambre et Philippe, quelque peu chancelant, la suivit.

Dans la cuisine, Julien et son beau-père réchauffèrent un plat de choux-fleurs à la végétaline.

— Tu crois qu'ils vont baiser ? demanda Gérald.

— Elle se cherche peut-être une excuse.

— Pour casser le mariage ?

— Ramouk et palouk. N'oublie pas qu'elle volburte facilement.

— Sans un zeste d'amas zone ?

— Ni furgol.

— Ni gamick ?

— Il n'y a pas de fumek sans feulouk.

Ils piquèrent dans le plat de choux-fleurs, chacun suivant ses pensées. Finalement Gérald dit :

— Je lui ai fait comprendre ce que je pensais de Léon. Je ne me sens pas le droit d'insister.

— Elle a peur, c'est naturel, dit Julien. Pour la première fois, elle accomplit quelque chose d'important sans notre aide. Elle est forte. Si elle décide qu'elle a fait une connerie, elle saura s'en sortir sans perdre trop de plumes.

Le plat était vide. Ils partirent se coucher. Gérald avec sa femme, Julien dans sa lingerie.

A 8 heures du matin, Philippe entra dans la lingerie. Il était livide. Ses yeux brillaient dans un visage hagard. Julien pensa qu'il ressemblait à un spectre sorti d'une pièce d'Ibsen, cherchant en vain le chemin des oubliettes.

— Je dois me confesser, dit Philippe.

— Vas-y.

— Pas à toi, imbécile. Il me faut un curé. D'urgence. Je suis damné.

« Le catholique pique sa crise, se dit Julien. A 8 heures du matin. C'est bien ma chance... »

— Tu as couché avec ma sœur ?

— Au sens biblique du mot.

— C'était bien ?

— Oui. Enfin je veux dire... Julien ! ne plaisante pas sur ce sujet.

— D'accord. Laisse-moi dormir.

— Je trahis mon frère, je compromets mon salut éternel, je déshonore la femme que j'aime et tu veux dormir ?

Il revint à son idée fixe :

— Il me faut un curé.

— Je suis à court de curés en ce moment, dit Julien.

— Accompagne-moi à l'église. J'ai peur d'être seul. Je me dégoûte.

— N'ajoute pas à tes fautes le péché de cruauté. Retourne te coucher, nous irons à confesse cet après-midi.

— Impossible.

— Pourquoi ?

— Impossible, répétait Philippe, buté.

— Ecoute, vieux, tu en fais un peu. Tu as pas mal de circonstances atténuantes. D'abord tu étais rond au point de ne pas reconnaître ta main gauche de ta main droite. Et je soupçonne Lola d'être davantage que toi responsable de ce malheureux incident de parcours...

— Incident de parcours ! s'écria Philippe indigné.

— Entorse aux bonnes manières, manque à l'étiquette, appelle ça comme tu veux. Et n'oublie pas que tu n'as pas pris Lola à ton frère, c'est Léon qui t'a piqué sa femme, si tu vois ce que je veux dire.

Il cita La Fontaine :

— « Le premier occupant, est-ce une loi plus sage ?... »

— Tu es répugnant, Julien. Tu ne crois pas en

Dieu, c'est triste pour toi, mais tu n'as ni morale ni sens civique.

Cette fois, Julien éclata de rire.

— Qu'est-ce que le sens civique vient foutre dans cette affaire ?

— Ce n'est pas seulement une question de religion, c'est aussi une question d'éthique sociale.

Julien comprit que rien n'allait détourner Philippe de son idée d'aller à confesse. En maugréant, il se leva et commença à s'habiller.

Tandis qu'ils marchaient à grands pas vers l'église Saint-Eustache, Julien tenta une dernière fois de ramener son ami à une perspective plus rationnelle des faits.

— Inconsciemment, Lola cherche un moyen de compromettre son mariage. Comme elle est têtue et orgueilleuse, elle ne reviendra pas sur sa parole. En t'entraînant dans son lit elle devait vaguement espérer que tu raconterais tout à Léon... Le fiancé s'indigne, se fâche et reprend sa bague. Adieu, voile blanc et fleurs d'oranger ! Bonjour, liberté ! Tu as été le jouet d'un Machiavel en jupon.

— Lola a cédé, comme moi, à la folie des sens. L'ambiance, les chansons, l'alcool, la complicité du lit... Toute la mécanique du désir. Elle sait très bien que jamais, même sous la torture, je ne parlerai à Léon de cette nuit.

— Sous la torture ?

Philippe réalisa qu'il s'était quelque peu laissé entraîner.

— Sous la torture morale, je veux dire, rectifia-t-il.

Pas de curé disponible à Saint-Eustache. Ils marchèrent jusqu'à l'église de la rue Beaubourg. Nouvel échec.

— Notre-Dame ! dit Philippe.

Rue des Archives, ils passèrent devant l'immeuble endommagé par le bombardement du 29 août. La vitrine où Sophie avait tracé les mots JE T'AIME n'existait plus.

Ils entrèrent dans la cathédrale. La nef était presque vide. Quelques personnes priaient.

Une femme marchait vers le confessionnal. Julien reconnut Elisabeth Ségur. Il quitta l'église.

Oubliant sa fatigue, il courut plus qu'il ne marcha jusqu'à l'île Saint-Louis. A l'instant où il ouvrait la grille de l'ascenseur, au 14, quai d'Orléans, un employé de l'E.D.F., d'un dispatching lointain, coupait le courant pour la journée. Julien monta les étages à pied.

Il frappa à la porte de l'appartement des Ségur. Personne n'ouvrit. Il cria :

— Sophie ! C'est Julien. Ouvre ! C'est Julien !

Pas de réponse.

Julien qui perdait rarement son sang-froid ne put résister à un soudain accès de rage. Il s'acharna à coups de pied sur la porte muette et hostile.

Le voisin de palier, alerté par le bruit, le pria de se calmer.

— Quel est votre nom ? demanda Julien.

— Mon nom est sur la porte, dit le voisin.

Il n'avait aucune envie d'engager la conversation avec ce jeune énergumène et rentra chez lui.

Epuisé, Julien s'assit sur la première marche de l'escalier.

Il décida d'oublier Sophie.

X

Le mariage de Lola Versois et Léon Leroy (« Vos noms enlacés sonnent comme une musique », répétait Mme Leroy d'une voix qu'elle cultivait dans le soprano pour faire bon genre. « Ils étaient prédestinés. »), le mariage de Lola et Léon eut lieu à la date prévue et se déroula selon les rites de cette race de citoyens privilégiés dont on prédit l'extinction de révolution en révolution mais qui se révèle indestructible : le grand bourgeois.

A la mairie, puis à l'église, Lola dit sagement « oui » et se comporta dans les salons de l'avenue Emile-Deschanel en parfaite future maîtresse de maison.

Les invités, pour la plupart en orbite autour des buffets (« De la limaille de fer au voisinage d'un aimant », pensait Julien), appartenaient à cette tranche sociale que les classes laborieuses appellent « possédante » et que le Tout-Paris néglige.

Au royaume de la formule de politesse et du lieu commun, Florence nageait comme un poisson dans l'eau.

Charlie avait appris le russe, jeune fille, à l'Ecole de langues orientales. Son vocabulaire trébuchant ravissait une princesse slave dont les fausses perles et les rubis de chez Burma tombaient en cascade sur les oranges, les mauves et les violets d'une robe de satin et soie sauvage défiant toute description. L'authenticité du titre pouvait être mise en question, mais la personnalité de la princesse tranchait plaisamment sur le ton de la soirée. En moins d'une heure, les deux femmes étaient devenues inséparables.

Philippe, le cœur saignant, vidait cul sec tout liquide contenu dans un verre et qui passait à portée de ses mains.

Julien et Gérald, après s'être divertis à l'étude des divers spécimens qui animaient la réception (ils prétendaient visiter un zoo), s'ennuyaient ferme. Ils décidèrent de lancer des fausses nouvelles.

— Ils l'ont ! Ils l'ont ! s'écria l'architecte.

— Quoi ? demanda quelqu'un.

— L'arme secrète.

— Les Américains ?

— Non. Les Allemands. L'information est censurée. On craint une panique générale.

— Quelle arme ?

— Le gaz R, dit Julien.

— Il provoque un rire incoercible.

— C'est une plaisanterie ?

— Malheureusement pas.

— Soixante-quinze divisions russes se tordent de rire sur l'Oder depuis quarante-huit heures, incapables de se défendre, et sont pratiquement anéanties.

— Et les masques à gaz ?

— Inopérants. Le gaz agit par osmose sur toute la surface du corps.

— L'état-major s'attend à une attaque au gaz R sur le front ouest dans les heures qui viennent.

— Dans une semaine, cinq millions de Parisiens vont mourir de rire...

La nouvelle s'était diffusée, déformée de bouche à bouche, et quelques invités, déjà, s'affolaient. Pour calmer ce début de panique, un général à la retraite décida d'appeler le ministère des Armées. Il revint du téléphone, les sourcils froncés.

— Ils n'infirment ni ne confirment l'information. Pas de commentaire.

Léon se montra plus efficace que le général et réussit à convaincre les crédules qu'il s'agissait d'un canular.

Durant cet intermède, Julien partit à la recherche de la cousine Adrienne, dont la robe de dentelle couleur pêche l'excitait. Il s'était mis en tête de trousser la demoiselle d'honneur. Il ne la trouva pas et s'égara dans les couloirs.

Lola, quittant la cuisine, l'aperçut, courut vers lui et tomba dans ses bras. Julien vit les larmes qui baignaient les joues de sa sœur.

— Je suis malheureuse, Julien.

Il essuya les gouttes salées du bout des doigts. Elle attrapa ses mains, les couvrit de baisers, releva la tête et l'embrassa sur la bouche. Longuement. Un vrai baiser.

Leurs visages se séparèrent. Elle le regarda. Il fut surpris de n'éprouver aucun sentiment de gêne.

— Il fallait m'empêcher, Julien. Il fallait m'interdire d'épouser ce type.

— Tu ne m'écoutes jamais, tu le sais bien.

— Il fallait m'empêcher, répéta-t-elle.

Il ne savait que répondre et la garda contre lui, la serrant très fort dans ses bras.

— Je t'aime, dit Lola. Tu es la seule personne que j'aime vraiment. Ne me laisse pas...

Elle l'embrassait dans le cou.

— Viens habiter avec nous.

— Ah non ! Pas ça, dit Julien. Si tu veux, on vole la Talbot et je t'enlève.

— Tu ne sais pas conduire.

— C'est vrai, reconnut Julien.

— Je t'aime, dit encore Lola.

Elle se dégagea et courut vers la porte d'une salle de bains pour se refaire un visage. Il se sentait coupable. Il chassa de son esprit ce sentiment inconfortable par une plaisanterie à la Julien : « Je n'ai pas réussi à trousser la demoiselle d'honneur dans un placard, mais j'ai filé un patin à la mariée. »

La réception qui s'était déroulée, à quelques accrocs près, selon les règles et l'éthique en vigueur se termina dans le chaos. Philippe, qui tenait à peine sur ses jambes après trois heures de traitement au Moët et Chandon, accepta, à la demande d'une tante amateur de poésie, de déclamer quelques vers de son répertoire. Il s'élança avec l'inconscience et la chance des ivrognes dans les premières strophes de *Oceano Nox* de Victor Hugo. Pour un temps, il navigua sans trop de dommages entre les récifs. Possédé tout à coup d'un étrange démon, il passa des marins défunts aux trois orfèvres de la Saint-Eloi. Son répertoire de chansons de salle de garde était remarquable, mais pas du goût de la majorité des invités. Déjà, quelques dames se levaient pour partir.

— Y a-t-il un curé dans la salle ? cria Julien. Vite ! Un curé !

Léon attrapa son frère par le bras et l'entraîna, *manu*

militari, hors du salon. Le calme revint mais l'ambiance n'y était plus. Vers 6 heures, il ne restait au voisinage des buffets dévastés que les proches parents des époux et la princesse russe.

Lola embrassa Charlie, Gérald et Julien, mais ne les suivit pas jusqu'au palier. Elle marcha vers une fenêtre, écarta les rideaux et regarda la tour Eiffel dont la silhouette incongrue se découpait sur un ciel bleu marine léché des reflets mourants du crépuscule. « Je me demande combien de temps ils ont mis à construire cette énormité. » Elle songeait à cette minute perdue dans la brume de sa vie passée où, sous le coup d'une impulsion irraisonnée, elle avait décidé de devenir Mme Leroy. Elle entendit les pas de son mari et de sa belle-maman et se cacha derrière les lourds rideaux de velours brun, bordés de passements or, qui la recouvrirent comme un linceul.

Julien fut plus affecté qu'il ne le pensait par l'absence de Lola. « La boîte aux réclamations », comme il l'appelait parfois, laissait un vide cruel dans l'appartement de la rue Etienne-Marcel, et dans son âme. Il s'était habitué aux tendances exhibitionnistes de sa sœur et découvrait avec une sorte d'effarement que la vue des longues jambes toujours en mouvement, des fesses rondes insolentes, des seins aux pointes dorées, des poils frivoles, soyeux et bouclés entre les cuisses lui manquaient physiquement. Il se demanda s'il ne fallait pas trouver dans cette forme d'attachement sensuel au corps de Lola la raison de son manque d'enthousiasme à se chercher une maîtresse. « Non, pensa-t-il. Sans l'accident de Sophie, j'aurais fait l'amour cette nuit-là. » Il imagina Sophie, nue, et pour la première fois réalisa qu'elle était, dans ses proportions, des épaules aux ongles des pieds, une réplique presque exacte de Lola. « Pas de veine, se dit-il. La première ne veut plus me voir, et la seconde est mariée. » Il essayait de plaisanter mais cette découverte l'avait profondément troublé.

L'arrivée à Paris de François Bourget, le frère cadet de Charlie, amena un autre changement dans la vie de Julien.

Inspecteur des postes à Agen, dans le Lot-et-Garonne, François avait épousé, deux mois avant la mobilisation générale, la fille d'un minotier de Marmande. Estelle avait consenti à devenir Mme Bourget à la condition expresse que, la guerre finie, François se ferait muter à Paris. Dès l'âge le plus tendre, la demoiselle répétait « je serai parisienne », comme on dit « je serai aviateur » ou « je serai un grand chirurgien ».

La mort d'Eugène Bourget donna au fils l'occasion de reprendre la charge de mandataire aux Halles de Paris. Il quitta Agen et les P.T.T. pour la rue Etienne-Marcel, suivi bien entendu de la fille du minotier, que Florence appelait la « minaudière ».

— Un clou chasse l'autre, mes pauvres enfants, annonça Florence un matin à sa fille et son petit-fils. La minaudière n'a pas perdu de temps.

Florence Bourget s'entendait médiocrement avec Charlie mais s'était attachée à Julien. Elle regrettait sincèrement son départ.

Grâce à Le Corbusier, Gérald avait loué pour un prix dérisoire une grande villa près de Saint-Nom-la-Bretèche. Construite au début du siècle, la maison avait abrité les fugues galantes d'un banquier londonien et, plus tard, servi de retraite hebdomadaire à plusieurs ministres de la IIIe République. Un amateur suédois (ami de Le Corbusier) en était devenu propriétaire dans les années 30. Laissée à l'abandon après le Front populaire, puis occupée par les Allemands, la villa se trouvait fin 1944 dans un état de délabrement spectaculaire. Le parc, rendu à la nature, ne manquait pas de charme et rappelait à Julien le décor du *Grand Meaulnes*. On disait dans la région que la maîtresse de Briand s'y était suicidée en 1927 et que son spectre traversait parfois les murs, accompagné en fond sonore d'abominables gémissements. Gérald et Julien, grands amateurs de fantômes, espéraient beaucoup de cette rencontre. Ils entendirent parfois, la nuit, les pleurs mélancoliques et déchirants de la suicidée, mais n'eurent jamais l'occasion de la rencontrer en suaire et en plasma. Charlie prétendait qu'elle « flairait » sa présence.

Julien avait découvert dans le parc une Renault vieille de dix ans et décida de la rendre à la circulation. Ce n'était pas une entreprise aisée. Par chance, le fils d'un garagiste de Louveciennes qui ne rêvait que de théâtre accepta de l'aider — et de voler dans le garage de son père les pièces de rechange indispensables. Emile Garcien était exceptionnellement doué, ce qui dérangeait les plans de Julien. Il réussit pourtant à convaincre le Pierre Brasseur en herbe que trois mois de répétitions en chambre étaient nécessaires avant d'auditionner chez Dullin. « Je n'ai répété ma scène de *Lafcadio* que six heures avant d'être accepté, du premier coup, au cours supérieur », se souvint Julien. Mais il n'était pas dans ses habitudes d'éprouver du remords pour une vétille. D'abord la Renault.

Le marché était équitable. Garcien débutait une carrière riche de promesses et Julien héritait d'un moyen de transport dont il avait toujours rêvé.

En attendant le lancement de la vieille Renault qu'il avait baptisée Pénélope, il prenait le train en gare de Saint-Nom-la-Bretèche, descendait à Saint-Lazare et, selon les conditions climatiques ou son humeur, se rendait place du Châtelet par le métro ou l'autobus. Il lui arrivait de rater le dernier train et couchait dans ce cas rue Etienne-Marcel.

Huit jours après qu'elle eut pris en main l'appartement des Bourget, la « minaudière » fit savoir à Julien que la lingerie allait désormais être rendue à son usage initial. Privé de son lit de camp, il restait au jeune garçon la possibilité de dormir avenue Emile-Deschanel, chez les Leroy. Pour une raison qu'il devinait mais refusait d'approfondir, Julien ne put jamais s'y résoudre.

Il ne revit Lola que deux semaines après le mariage, à l'occasion d'une visite qu'elle fit à Saint-Nom-la-Bretèche en compagnie de son mari. Ils arrivèrent dans leur Talbot, un dimanche, à l'heure du déjeuner. Lola était chargée de cadeaux. Une chemise écossaise en pure laine et une canadienne réversible pour Julien, une gabardine en tissu imperméable d'officier de l'armée américaine pour Gérald, une jupe plissée et un grand châle de soie pour Charlie. Du chocolat suisse, du lait concentré Nestlé, du beurre et des tickets de pain pour la cuisine. Elle était heureuse de revoir sa famille, riait des plaisanteries de son beau-père et de son frère, mais semblait absente, distraite. Léon, plus amoureux que jamais, se montrait aux petits soins pour elle. « Elle a manqué sa vocation. Elle aurait dû se faire dompteuse », glissa Julien à l'oreille de Gérald.

Julien voulut présenter sa voiture à sa sœur. Ils s'éloignèrent dans le parc. Dès qu'ils furent hors de vue, Lola sortit quatre billets de 100 francs de la poche de son nouveau tailleur sport de chez Fath et les tendit à son frère. Il accepta sans faire de façons.

— Léon m'offre tout ce que je demande, dit Lola. Et même plus. Mais pour l'argent liquide, je n'ai jamais vu de mec plus radin. Chaque fois qu'il sort un sou de sa poche, on croirait qu'il perd son sang.

Elle traita son frère de lâcheur et insista pour qu'il vienne déjeuner ou dîner, de temps à autre, avenue Emile-Deschanel. Julien promit, jura sur la tête de Charlie, sachant qu'il trouverait au dernier instant une raison de remettre sa visite.

— Je te présente Pénélope, dit-il. On lui fait la respiration artificielle et le bouche-à-bouche depuis une semaine. Elle va bientôt se réveiller.

Lola, toujours pragmatique, sauta sur l'occasion de soudoyer son frère.

— Quand tu passeras me voir, je te filerai des bons d'essence. Je sais où Léon les cache.

Plus tard, Julien demanda à Léon de lui donner une leçon de conduite.

A la tombée de la nuit, M. et Mme Leroy quittèrent Saint-Nom-la-Bretèche au volant de leur Talbot.

Quelques jours après Julien obtint une promotion que ses camarades de cours lui enviaient. Dullin lui confia un « vrai » rôle dans *Le Soldat et la Sorcière*, d'Armand Salacrou. Il jouait un apprenti apothicaire qui surgissait au lever du rideau et disparaissait à la fin du premier tableau. Le personnage tenait la scène dix minutes, ce qui ne comblait pas les ambitions théâtrales de Julien mais lui permettait d'attraper le train de 10 h 48, gare Saint-Lazare. En se démaquillant, il observait son visage dans le miroir piqué de rouille et se posait des questions. Il n'était plus certain d'aimer son métier d'acteur. Le rite du maquillage, qui précédait chaque soir le traditionnel précipité et les trois coups ordonnant le départ du rêve, lui devenait pénible. Il se rappelait la question de Charles Dullin : « Est-ce que tu les aimes ? » Décidément, non, il n'éprouvait pas de réel respect pour les spectateurs qui riaient à ses effets et ses répliques. Il avait même, certains jours, la désagréable impression d'être un singe montré au cirque qui répétait les mêmes gestes dans l'espoir d'une banane ou simplement par habitude.

Il se sentait vieux. Il était fatigué. Il ne comprenait pas ce qui lui arrivait.

XI

— Hé ! l'Ame-en-peine !

Quelqu'un frappait à la vitre du café des Deux-Magots. Julien qui suivait sans but le trottoir s'arrêta. Il reconnut Pinocchio, l'Entrepreneur-en-désastres, qui lui faisait signe, agitant ses bras démesurés comme des pales de moulin. Julien revint sur ses pas et entra dans le café. Le nom de l'ivrogne qui l'avait secouru à l'Hôtel-Dieu la nuit du bombardement lui revint en mémoire : Pascal Cousin.

Un homme d'une quarantaine d'années était assis à la table de Pascal. « Il a l'air d'être ailleurs et pourtant de tout voir », fut la première impression de Julien. Le visage à l'expression amicale, les yeux tendres et moqueurs l'avaient immédiatement séduit. Pascal les présenta à sa manière.

— L'Ame-en-peine... La Baleine-aux-yeux-bleus.

Julien comprit qu'il serrait la main de son poète favori : Jacques Prévert. Il était ravi mais nullement intimidé.

Pascal alliait à ses talents d'imitateur et de consom-

mateur privilégié de boissons alcoolisées un don exceptionnel de visionnaire. Il reprit un discours, interrompu par l'arrivée de Julien, sur la menace du tourisme d'après-guerre qui allait ravager l'Europe et
plus précisément le VIe arrondissement.

— Allemands, Japonais, Suisses, Monégasques !...
Ils vont débarquer par cars entiers et photographier les
chaises du Flore et des Deux-Magots où Sartre et
Prévert se sont assis...

— Il nous cassandre les pieds, dit Prévert.

Le poète mâchonnait ses mots, les réduisait en
purée avec la dextérité d'un mixer tournant à la vitesse
maximale. Cela demandait à ses auditeurs un effort
d'attention exténuant, mais par un miracle qui ne
relevait d'aucune logique, on le comprenait toujours.

— Des voitures par millions, poursuivait Pascal.
Les gaz d'échappement, la mort du poumon, les pié-
tons aplatis sous les essieux, par douzaines, à chaque
feu passant du rouge au vert...

— Que faisais-tu boulevard Saint-Germain ?
demanda Prévert à l'adolescent.

— Je traînais. Je joue au Sarah-Bernhardt. J'avais
oublié que c'était relâche.

Après un temps de réflexion, Julien ajouta :

— Je cherchais 80 francs pour payer mon métro et
mon billet de train, gare Saint-Lazare.

Pascal se mit à fouiller dans ses poches. Prévert
aussi. Ils déposèrent sur la table six pièces de 20 centimes et deux pièces de un franc. Pascal était fauché,
Prévert avait laissé chez lui son portefeuille.

— 3,20 francs. On est loin du compte, dit Pascal.
Attends...

Il le leva, passa la porte, resta sous l'auvent, l'œil

fixé sur le trottoir. Il ne pleuvait pas. Il bruinait. Pascal avait froid. Il boutonna le col de sa chemise froissée. Il repéra sa proie : un quinquagénaire cravaté, rosette à la boutonnière, baguette de pain sous le coude, qui marchait dignement, l'air préoccupé et l'esprit vide.

— 80 francs, s'il vous plaît, demanda Pascal. Ma mère se meurt. 80 francs, s'il vous plaît. Dieu vous le rendra.

L'homme continuait de marcher. Pascal lui emboîta le pas.

— 20 francs ?... 10 francs ?

— Je n'ai pas de monnaie, dit l'homme.

— Deux francs ?... Un franc ?... 20 centimes ?

— Je vous dis que je n'ai pas de monnaie.

— Un sandwich alors... Un morceau de pain... Même le crouton...

— Le pain est conditionné.

— Alors portez-moi un peu. Je suis fatigué.

L'homme prit peur et se mit à courir. Pascal le regarda s'éloigner, songeant à son père. Ils se ressemblaient tous. Pas méchants. Décorés. Heureux sous les ordres : de l'épouse, de l'officier supérieur, du patron, du bon Dieu. Livrés à eux-mêmes, sans courage. Il voulut courir après l'homme, baisser son pantalon, fesser le cul maigre, pour célébrer joyeusement, en public, les séances de martinet de son enfance. Il rebroussa chemin et rentra aux Deux-Magots.

— Pas de succès, dit-il.

Entre-temps, Jacques Prévert avait mis au point une tactique différente.

Il commanda une bouteille de champagne dans un seau sans glaçons, empli d'eau.

— Aux petits maux les grands remèdes, dit-il.

— Vous parlez comme Florence, remarqua Julien.

Prévert le regardait sans comprendre.

— C'est ma grand-mère.

— Je grand-mère moi-même avec plaisir, dit Prévert. Je grammaire aussi et ne m'en vante pas. Grammaire et grand-mère s'en allaient au marché...

— Survint un poète qui passait à jeun, coupa Pascal.

— « Qui te rend si mardi d'inventer la semaine ? » enchaîna Julien qui s'y connaissait en langage automatique.

Prévert rit.

— Quel est ton nom , demanda-t-il.

— Julien Versois.

— Un prénom étriqué. Difficile à porter. Sais-tu pourquoi on porte un nom ? Non. Moi nom plus. Le prénom, c'est la porte. Au départ, elle est fermée. A chacun de trouver la serrure. Jean, c'est facile, un tour de clef. François... déjà ouvert. Marcel, plus complexe. Les Marcel sont des voyous. Des voyous qui s'ignorent. Des voyous incarnés.

Il rit. Julien mit un temps à se souvenir que Prévert était aussi le scénariste de Marcel Carné.

— Les Marcel ont la clé, poursuivait Prévert, et ne savent pas s'en servir, ils fracturent... Les Julien... bizarre... Les Julien ouvrent les coffres à combinaisons multiples et s'affolent devant une poignée de porte.

— Et les Jacques ? demanda Julien.

— Les Jacques sont des paysans. Ils n'ont pas de portes. Ils les inventent.

Entre la question et la réponse, il n'y avait même

pas eu la fraction de seconde nécessaire au temps de réflexion.

Le champagne arriva. Une gorgée pour Prévert ou Julien, un verre pour Pascal. La bouteille sèche, Prévert rédigea trois lignes sur un bout de papier qu'il roula et enfonça dans le goulot. Il pria le garçon de déposer le seau à champagne sur la table d'un homme au visage d'esthète dont la cravate s'ornait d'un diamant de 6 carats et la bouche, des rides amères de la pédérastie. L'homme masqua sa surprise, déplia le billet et lut à voix haute à l'intention des deux jeunes gens assis en face de lui : « Poètes affamés, échoués sur île déserte et coup du sort, se contenteraient de mille francs. Glissez argent par le goulot et rejetez bouteille à la mer. » Les jeunes gens éclatèrent de rire. L'esthète soupira. Pédérastie oblige : pour impressionner ses invités, il sortit deux billets de 500 francs de son portefeuille, les plia et les glissa dans la bouteille.

Il suivit des yeux le garçon qui retournait le seau à la table de Jacques Prévert et tomba follement amoureux de Julien. Avant de partir, il lui fit porter sa carte : comte Henri de Sarles. Château de Brou, Alès, Gard. Et ces mots griffonnés à la hâte : « Quand on vous voit on vous aime. Quand on vous aime, où vous voit-on ? »

Julien ne releva pas la tête. Séduire le séduisait, à condition de n'en tirer aucun avantage. A chacun son orgueil. Il glissa néanmoins la carte dans sa poche.

A sa table, on affrontait un problème inattendu. Consommations et champagne payés (service en sus), il restait misère des mille francs du comte de Sarles.

— Revenus à la case zéro, dit Prévert. Nous ne serons jamais de grands banquiers... L'argent démasque toujours ceux qui ne le respectent pas.

Il se leva. Il avait en tête d'autres poèmes ou d'autres rendez-vous.

— Ne t'inquiète pas, dit-il amicalement à Julien. Les plus belles aventures commencent souvent par un train manqué.

Il quitta les Deux-Magots.

Julien se souvint des premiers vers d'un poème de *Paroles* qu'il connaissait par cœur.

> *En sortant de l'école*
> *Nous avons rencontré*
> *Un grand chemin de fer*
> *Qui nous a emmenés*
> *Tout autour de la terre*
> *Dans un wagon doré...*

Un éclair de futur éclairait le présent. Julien devinait qu'un événement important l'attendait au coin de la nuit. Prévert lui avait rendu le goût du miracle et de l'impossible.

La monnaie du poète.

Pour un Parisien en possession de ses facultés intellectuelles, une cave est synonyme de débarras, de cellier ; en temps de guerre, éventuellement, d'abri contre les bombes; en tout cas, pas un local destiné à la musique et à la danse. Mais beaucoup de découvertes sont dues au hasard : pour ne pas incommoder le tympan des bourgeois de la rue des Carmes, Claude Luter et son orchestre de jazzmen amateurs avaient pris le maquis par six mètres de fond, sous le plancher d'un modeste bistro, le Lorientais. La mode des caves, qui allait se propager à la vitesse d'un incendie de forêt de la rive gauche de la Seine aux capitales du monde entier, était née.

Au départ, le public du Lorientais était jeune et fauché. Très vite, des amateurs de jazz qui n'avaient pas toujours vingt ans, des noctambules en quête de décors nouveaux, des vedettes dans le vent, donnèrent à la cave enfumée ses lettres de crédit.

Louise Morin, née van Hooten, se demandait si la luxure et l'argent se payaient après la mort. « Une idée de capitaliste, conclut-elle pour se rassurer. Les curés sont les banquiers de l'âme. » Elle observait sa fille qui dansait avec Daniel Leclerc. Carmen était déchaînée. Sa jupe de taffetas découvrait les cuisses jusqu'à la culotte à chaque nouvelle figure. Louise avalait son sixième verre de bordeaux blanc. Pour rester sobre, elle ne buvait qu'une sorte d'alcool par soirée. « Une nouvelle nuit d'inconséquence », songea-t-elle sombrement. Son psychiatre appelait « inconséquence freudienne » cette soif désespérée de plaisir qui la possédait parfois, dont elle connaissait les signes avant-coureurs mais qu'elle était incapable de dominer.

Louise associait sa nuit de noces au rituel d'un viol légal. Elle était convaincue d'avoir joui pour la première fois en mettant Carmen au monde. Après son divorce (et plusieurs centaines de millions à la clé en valeurs immobilières et bons du Trésor), elle s'était totalement identifiée à sa fille. Elle s'offrait en quelque sorte, par procuration, une seconde jeunesse. L'adolescente, élevée par symbiose, confondait sa chair, ses pensées, ses désirs, avec le corps, les faiblesses, le sexe de sa mère. Louise l'habillait, la déshabillait, lui accordait un amant comme on donne un bonbon. Si l'homme était brutal, elle le chassait. S'il devenait insistant et trop sentimental, elle riait de lui avec sa fille et le renvoyait à ses parents, ses lectures ou sa femme. Au chaud dans son cocon, coupée des réalités de l'existence, Carmen se croyait heureuse. La vie était douce, les hommes sans danger. On pouvait s'amuser, rire, sans craindre de pleurer. La jeune fille trouvait naturel que sa mère partageât le lit où elle jouait avec ses amants de passage.

Carmen remarqua un jeune homme qui approchait de la table de sa mère. Il était précédé d'un grand escogriffe qu'elle connaissait de vue mais dont le nom lui échappait. Elle ne pouvait détourner son regard du jeune homme dont les yeux gris-vert et la bouche sensuelle, distraite, une bouche d'aristocrate, la fascinaient. « On dirait un ange qui a faim », pensa-t-elle. Carmen transpirait et, soudain, elle eut froid. Un froid délicieux. Elle était si peu accoutumée à assumer ses propres émotions qu'elle glissa et tomba sur la piste.

Pascal présenta Julien à Louise Morin qui frottait machinalement son genou tandis que Carmen se relevait en boitillant et s'accrochait au cou de Daniel Leclerc.

— Le gros gibier, ce soir, dit Pascal désignant Daniel.

Louise lui décocha un coup de pied vigoureux dans les tibias.

— Ca s'arrose, enchaîna Pascal, la bouteille de bordeaux déjà en main.

Quelques secondes plus tard, Carmen et Daniel les rejoignirent.

— Drôle de soirée, dit Julien en serrant la main du jeune homme. Je quitte un des écrivains que j'admire le plus pour être présenté au seul acteur dont je sois jaloux.

Daniel Leclerc était le jeune premier en vogue. Révélé par le dernier film de Marc Allégret, il triomphait chaque soir, au théâtre de l'Athénée, dans l'*Ondine* de Giraudoux. Un peu fou, ravi d'un succès foudroyant dont il ne tirait aucune vanité, il avait tout pour plaire.

— Il ne lui manque que la parole, glissa Pascal à l'oreille de Julien.

Pinocchio ne résistait jamais à ce genre de sarcasme. En l'occurrence, il avait tort et le savait. Daniel n'était pas un intellectuel mais son sens baroque de l'humour, son flair paysan capable de détecter chez autrui, à vitesse d'ordinateur, faiblesses et qualités, compensaient le peu de temps passé sur les bancs du lycée.

Carmen, les joues en feu, buvait dans le verre de sa mère et riait à chaque mot échangé par Julien et Daniel qui paraissaient s'entendre à merveille. Louise avait en tête son plan pour la nuit et l'idée que Carmen fût bouleversée par la présence de Julien ne l'effleura même pas. Sans la moindre inquiétude, elle applaudit à la suggestion de Pascal de conclure la nuit chez elle autour d'une bouteille.

Un fiacre attelé attendait dans la rue. Louise avait pris durant la guerre l'habitude de ce mode de transport. L'idée de passer du cheval de trait au cheval-vapeur ne lui était pas venue à l'esprit. « J'aime la Morin parce qu'elle est snob sans le savoir », disait Pascal.

Il insista pour prendre la place du cocher.

— Laisse faire, maman, dit Carmen. Sinon il va sauter sur le cheval.

C'était en effet l'intention de Pascal en cas de veto.

Le départ fut laborieux. Le boulonnais, agacé par une main inexperte aux rênes, renâclait et secouait l'attelage.

— Où sont les œillères ? cria Pascal.

Il sauta de la banquette du cocher, ouvrit la porte du fiacre et se jeta sur Carmen dont il souleva la jupe. Avec une rapidité et une précision de gestes surprenantes pour un homme qui avait ingurgité en moins de six heures une douzaine de pastis, les deux tiers d'une bouteille de champagne et quatre litres de bordeaux, il s'empara de la culotte de la jeune fille. Le temps que les passagers réagissent, il était déjà reparti. Il coiffa le boulonnais de la culotte. Apparemment l'animal apprécia ce bonnet d'un genre particulier. Le fiacre démarra souplement.

Au coin du pont de la Tournelle, Pascal interpella un agent à vélo pour lui demander le chemin de la prison de la Bastille.

— Je transporte une dangereuse cargaison de sans-culottes, expliqua-t-il.

L'incident n'eut pas de suites fâcheuses et le trajet se poursuivit sans encombre.

En sortant du fiacre, Julien s'aperçut qu'ils s'étaient arrêtés devant le 16, quai d'Orléans.

XII

L'appartement de Louise Morin occupait les deux étages supérieurs de l'immeuble. Au sud-ouest, d'immenses baies vitrées donnaient sur la Seine et la Montagne-Sainte-Geneviève ; au nord-est, sur les toits de Saint-Louis-en-l'Ile. Une surabondance de meubles, de plantes vertes, d'objets, de bibelots se bousculaient de chambre en chambre dans la plus grande confusion, jusqu'à la frontière mystérieuse d'une moquette couleur ocre jaune qui couvrait le plancher du salon de réception, pratiquement vide. Au mur, un Fernand Léger, une sanguine de Goya et la toile atroce d'un peintre du dimanche représentant la mer de Glace avec, au premier plan, une branche de pommier en fleur. Un authentique Rodin partageait les honneurs de l'entrée avec la reproduction en plâtre du buste de Clemenceau, exécuté en 1919 par un sculpteur tombé à jamais dans l'oubli. L'« inconséquence freudienne » cédait ici le pas à la schizophrénie. Vingt ans plus tard, un artiste pop eût sans doute crié au génie ; en 1944, on disait de l'appartement de

Louise Morin qu'il était « bizarre » ou, plus générale-
ment, le comble du mauvais goût.

— Je me sens chez moi, ici, dit Pascal. C'est
douillet.

L'entrepreneur-en-désastres ne pouvait pas
rêver d'un décor mieux adapté à son amour du
paradoxe

Ils étaient assis sur quatre poufs marocains, seul
mobilier du grand salon à la moquette jaune.

Un Indochinois silencieux, en uniforme d'adjudant
de la coloniale et qui parut sortir d'un mur, apporta
les boissons.

— Quel est votre métier ? demanda Carmen à
Pascal.

— Chérie, on ne pose jamais ce genre de question,
lui reprocha Louise. C'est très mal élevé.

Carmen ne montrait d'indépendance qu'au niveau
de la conversation. Dans ce domaine, elle ne laissait
pas sa mère l'influencer.

— J'adore être mal élevée, répondit-elle. Quelle est
votre métier, Pascal ?

— Voleur de culottes.

— Pique-assiette, précisa Louise avec un charmant
sourire.

— Un hobby, fit modestement Pascal.

— Et vous ? demanda Carmen à Julien.

— Je me pose la question... Hier j'étais apothicaire
au théâtre Sarah-Bernhardt. Ce soir je ne sais plus...
Rat d'hôtel, ça me plairait bien.

Carmen rit de bon cœur. Louise l'attira sur ses
genoux. Le mouvement, assez brusque, surprit la
jeune fille qui balança les jambes pour retrouver son
équilibre. Daniel put voir l'intérieur des cuisses blan-

ches, un instant ouvertes. Julien eut la certitude que le geste de Louise avait été très précisément calculé.

Pour une raison connue de lui seul et que la situation ne semblait pas motiver, Pascal se mit à chanter en roulant les yeux, imitant à la perfection Charles Trenet.

> *C'est jour de repassage*
> *Dans la maison qui dort*
> *La bonne n'est pas sage*
> *Mais on la garde encore...*
> *On l'a trouvée hier soir*
> *Derrière la porte en bois*
> *Avec une passoire*
> *Se donnant de la joie...*
> *La barbe de grand-père*
> *A tout remis en ordre*
> *Mais la bonne en colère*
> *A bien failli le mordre...*

Il se jeta sur Louise et lui mordit la main.

— J'espère qu'il n'est pas enragé, dit Daniel. Douze piqûres dans le ventre, le traitement est douloureux.

Ces mots eurent sur Louise un effet inattendu. Elle regarda Daniel, la bouche entrouverte, et serra violemment Carmen sur son ventre, les mains sur les seins de son enfant. Julien remarqua que ses doigts tremblaient.

— Li Phang ! Mes appartements ! cria Pascal.

Il attrapa une bouteille de whisky et se dirigea vers la porte. A la limite de la jungle, il se retourna et fit signe à Julien de le suivre.

Louise sourit au jeune garçon. Il comprit que sa présence n'était plus désirée. Il se leva et rejoignit Pascal. Avant de quitter la pièce, il jeta un regard derrière lui et vit que Carmen l'observait. Il eut une vision étrange. Une vierge aux yeux très bleus, très vides, très profonds. Elle appelait au secours... La Prêtresse levait le couteau du sacrifice.

— Tarzan arrive avec ses éléphants, pas de panique ! dit Pascal comme s'il avait deviné les pensées de Julien.

Il entraîna son ami.

Dans un couloir, Li Phang surgit du mur. Il avait troqué son uniforme pour un pyjama en rayonne de la Samaritaine. Il guida Pascal et Julien à l'étage supérieur où il ouvrit deux chambres à coucher.

En se mettant au lit, Julien entendait Pascal qui chantait :

> *Couché dans le foin,*
> *Avec le soleil pour témoin*
> *Un p'tit oiseau*
> *Qui chante au loin...*

L'adolescent ne trouvait pas le sommeil. Il attendait quelque chose. Il ne savait quoi...

Une heure plus tard, Pascal entra dans sa chambre.

— Viens, dit-il. Cours d'éducation sexuelle.

Sans autre explication il enjamba la fenêtre. Julien crut qu'il s'était jeté dans le vide, mais la face hilare, curieusement ridée pour un homme de vingt-cinq ans, apparut presque aussitôt derrière la vitre. La chambre donnait sur les toits.

Pascal eut un geste impératif.

125

Même en hiver, Julien dormait nu. Il se leva et enfila la canadienne réversible offerte par Lola qui laissait à découvert, lorsqu'il marchait, un centimètre de son sexe, très décemment coiffé de peau à l'image du pénis des statues grecques. Il suivit Pascal sur le toit recouvert de plaques de plomb qui avaient connu deux guerres et peut-être même le siège de Paris. Pascal rota, ce qui lui fit perdre l'équilibre. Il se rattrapa de justesse avant la gouttière, vingt mètres au-dessus des pavés de la cour. « Comme Marie », se souvint Julien.

— Faiblesse d'estomac n'est pas mauvaise éducation, s'excusa Pascal.

Quelques pas plus loin, il s'arrêta :

— Je boirais bien un coup...

Heureusement pour lui, les bars n'étaient pas courants sur les toits de l'île Saint-Louis. Julien, bien élevé, ne posait de questions qu'à bon escient. Il estima qu'il méritait une explication.

— Qu'est-ce qu'on fout dehors à se geler les couilles ? demanda-t-il.

— Balzac, Simone de Beauvoir et Jules Verne n'ont jamais compris que l'expérience oculaire doit précéder l'inspiration. Nous appartenons à l'autre école, celle des Mark Twain, des Jack London, des Hemingway, des Céline. Comme je te l'ai déjà dit, nous allons au cours d'éducation sexuelle.

Moins assuré qu'au départ de l'expédition, Pascal poursuivait son chemin à plat ventre. Pour se donner du courage il n'arrêtait pas de parler.

— Louise Morin a mis au point une tactique de baisage, *via* Carmen, qui est, paraît-il, unique en son genre. J'ai dans l'idée, ce soir, de surprendre Daniel

Leclerc jouant à saute-mouton entre la mère et la fille. Ça vaut n'importe quel documentaire sur les Zoulous ou les tribus préhistoriques d'Australie. On va se rincer l'œil.

— Tu es impuissant ?.

— Même pas, soupira Pascal. Ce serait trop beau !

Il s'agenouilla devant la fenêtre d'une chambre mansardée.

— L'hypocrite a tiré les rideaux ! dit-il. On peut voir quand même... Elle baise toujours dans le lit de sa fille. Un rituel. J'aime les femmes d'habitudes. Viens voir. Ils y sont. Tous les trois.

Julien n'avait rien contre l'idée de rejoindre Pascal à la fenêtre. Pour la première fois de sa vie, il allait voir un homme et une femme faire l'amour. Plus précisément, un homme et deux femmes.

Et soudain, le rêve lui revint.

La couleur du ciel... La couleur du plomb humide, reflétant l'obscurité du ciel... La découpe des toits cassée, à cinquante mètres, par la crevasse noire de la rue Bude... Et la tache de lumière échappée d'une fenêtre qui semblait l'appeler. Qui criait... L'image était d'une précision surnaturelle... Dans son rêve, il avançait vers la fenêtre. Les corps invisibles de millions de limaces élevaient un mur infranchissable, l'arrêtant dans sa course. Il aspirait cette matière visqueuse, il étouffait. Il pensait : « C'est du chewing-gum. On ne meurt pas en respirant du chewing-gum... »

Venant d'un autre monde, il entendait la voix de Pascal : « Merde, je boirais bien un coup. » Il oublia son ami, il oublia Daniel, Louise et Carmen. Il se mit à marcher, comme dans son rêve. Cette fois, il n'y avait pas de limaces pour l'arrêter. Un rai de lumière, venant d'une fenêtre dont les rideaux n'étaient pas tirés, illumina les plaques de plomb à ses pieds.

Par la fenêtre, il vit Sophie.

Elle était dans son lit, penchée en avant, un bras agité de mouvements bizarres. Il ne comprit pas tout de suite qu'elle tentait d'attraper un livre ouvert sur le sol, hors de portée de sa main. Elle y renonça et, s'aidant des barreaux du lit, se remit sur le dos. Elle tira la couverture par-dessus sa tête. Seuls les bras restaient découverts. Il l'entendit crier. Le son n'était pas vraiment humain. Il ne venait pas de la gorge, il sortait du corps. Les bras frappaient rageusement le matelas, rappelant à Julien les membres d'une poupée mécanique détraquée. Il essaya d'ouvrir la fenêtre. Elle était fermée. Il frappa au carreau.

Le jouet ne bougeait plus. « Le ressort est détendu », pensa Julien.

Quelque chose qui était vivant, à nouveau, bougea sous la couverture de laine verte usée par endroits jusqu'à la trame. Un des bras se plia, une main tira sur le tissu, découvrant un visage figé. Sophie, les yeux ouverts, regardait le plafond, le vide, le noir...

La douleur, à la façon d'un peintre, ne souffre pas la médiocrité. Elle vulgarise ou elle sanctifie. Le visage de Sophie inspirait le recueillement. L'âme jouait dans le regard. La bouche rendue à l'enfance attirait le souffle du baiser que l'on dépose le soir sur les lèvres d'un bébé endormi. Sous la chair, si transparente qu'elle ne semblait pas de cet univers, la délicate mathématique des os donnait à cette beauté immobile le charme et la rigueur d'une œuvre d'art. Julien ne sut jamais le temps qu'il resta derrière son carreau.

Sophie tourna la tête, le reconnut et ferma les yeux.

Elle avait cru voir un fantôme. Il était certain de rêver. Ce fut le froid qui le rendit à la réalité. Il fit un signe de la main : « Ouvre. »

Sophie, qui souriait, se mit brusquement à pleurer. Elle le regardait et semblait dire : je ne peux pas venir à toi. Julien accepta le fait brutal qu'il refusait d'admettre depuis plus de deux mois. Elle était paralysée.

Du coude, il cassa un carreau, tourna la poignée, ouvrit la fenêtre et sauta dans la chambre. Il s'agenouilla à la tête du lit. Il prit dans ses mains la main de Sophie et sans savoir pourquoi, la glissa sous sa canadienne, contre la peau de sa poitrine.

— Je n'ai pas pleuré depuis si longtemps..., dit Sophie.

Elle n'essuya pas ses larmes et ajouta :

— Je t'aime.

Julien fut submergé d'une émotion si violente qu'il ne songea pas à traduire ce sentiment par le mot de « bonheur ». Il voulait graver dans sa mémoire, à jamais, chaque seconde de cet instant miraculeux. Il regardait Sophie, le mur, le bassin sur la chaise, les écailles des barreaux du lit qui formaient d'étranges arabesques — une araignée, non, plutôt une tête de cheval arabe — la bouteille de sirop vermillon entre le pied en bronze de la lampe de chevet et un plan de Paris couvert de croix et de flèches faites à l'encre rouge. Il écoutait le souffle retenu, saccadé, qui agitait mystérieusement les lèvres de Sophie. Il embrassa sa respiration... Son démon familier reprit possession de ses pensées. « Quelle preuve sublime d'amour, se dit-il. J'embrasse son gaz carbonique. Même Byron n'y aurait pas songé. » Il rit. Elle rit avec lui, sans se

demander pourquoi. Elle répéta dix fois « Je t'aime...
Je t'aime... »

— Si on s'embrassait ? proposa Julien.

Les lèvres étaient vivantes, passionnées. Elles
s'ouvrirent pour inviter les langues qui se cherchaient,
jouaient, changeaient de forme, tendres, douces et
soudain tendues comme le sexe d'un homme, ou
vibrantes et veloutées, devenues femmes. Les langues
se parlaient, se faisaient l'amour, se frottaient
jusqu'au sang sur l'ivoire des dents et se retiraient un
instant dans la caverne des bouches ouvertes et réu-
nies, pour mieux se reprendre...

Julien caressait un sein. Inconscient du chemin
suivi par ses doigts, il descendait vers le ventre.

Avec une force inouïe, Sophie le repoussa. Il se
retrouva assis par terre, à côté du lit. Sophie avait
remonté la couverture sur sa tête. Plusieurs minutes
passèrent.

Julien n'osait plus bouger, n'osait plus parler.

— Ne me touche plus jamais comme ça, s'il te
plaît, dit la voix sous la couverture.

Julien comprit qu'elle n'était pas fâchée. Elle se
remettait du choc provoqué par sa caresse.

— Je te le jure, promit-il.

Doucement il souleva la couverture. Le visage de
Sophie apparut.

— Pardon, dit-elle.

— Qu'est-ce qu'il te prend ? Demander pardon, ce
n'est pas ton style. Ni le mien d'ailleurs.

Il l'embrassa sur le coin des lèvres.

Il lui raconta sa maladie, la lettre qu'elle n'avait
jamais reçue, ses tentatives répétées et infructueuses
pour la revoir. Elle lui expliqua sa peur panique qu'il

pût la voir si laide, sale, puante, amoindrie, le jour de sa première visite.

— C'était trop près de l'hôpital. Je ne voulais voir personne, surtout pas toi. Je voulais qu'on garde de moi l'image du temps où j'étais une vraie femme. J'avais l'impression que mon âme était souillée par mon corps.

— Tu aurais pu m'écrire, même si tu ne voulais plus me voir.

— Mais je t'ai écrit, dit Sophie. J'ai donné la lettre à ma mère.

— La salope, jura Julien, elle ne l'a pas mise à la poste !

— C'est peut-être mieux. Maintenant je sais que tu ne m'as jamais oubliée.

Julien se décida à poser la question qui brûlait ses lèvres :

— Qu'est-ce que t'a dit le Pr Armand ? Il a parlé à mon docteur d'une nouvelle opération.

— Oui, dit-elle.

Son visage s'était fermé. Après un long silence, elle répéta :

— Oui. Il a parlé d'une nouvelle opération.

Les mots semblaient lui faire mal.

— Je crois que plus jamais, plus jamais de ma vie, je ne pourrai quitter ce lit.

Soudain, elle cria :

— Toutes ces années à venir, Julien ! Il y en a trop. Elles me font peur. Je voudrais tant être vieille !...

Julien lui caressa le front, lui embrassa les mains. Quand elle parut calmée, il dit :

— S'il n'y avait plus d'espoir, les docteurs ne penseraient pas à cette nouvelle opération. Réfléchis, ça n'aurait pas de sens.

— Ça n'aurait pas de sens, répéta Sophie d'une voix sans intonation.

Il changea de sujet, lui donna des nouvelles du cours, lui parla du mariage de sa sœur. Il réussit finalement à la faire rire en lui décrivant l'apparition nocturne de Mme Jolivet sur le plateau du théâtre Sarah-Bernhardt.

— Une chose m'étonne, dit Julien.

— Quoi ?

— Tu ne m'as pas demandé ce que je faisais sur les toits, en pleine nuit, devant ta fenêtre.

— Tu te promenais, dit-elle. Tout le monde sait qu'à chaque nouvelle lune, tu te transformes en chat de gouttière pour surprendre au lit les jeunes filles paralysées.

— Tu as deviné.

Elle lui tira les cheveux.

— Raconte.

Il décrivit sa soirée, en détail, depuis sa rencontre avec Prévert aux Deux-Magots. Sophie était fascinée par la personnalité de Louise Morin.

— Décidément, les mères adorent partager leur fille, dit-elle. Les unes avec leurs amants, les autres avec le bon Dieu. J'espère que tu me feras un rapport minutieux et objectif du développement de la situation.

— A propos de mère, dit Julien, où se trouve la tienne ? Si elle me voit ici, elle va appeler la police.

— Elle dort à l'autre bout de l'appartement. J'ai une sonnette en cas d'urgence.

Elle regarda Julien, les yeux soudain brillants.

— Je vais lui parler. Elle va pleurer, crier que je la crucifie, me décrire les souffrances des âmes au purgatoire, je m'en fous ! Tu es libre d'entrer ici à n'importe quelle heure du jour et de la nuit, par la porte, la fenêtre ou le trou de l'évier si tu trouves ça plus romantique. Julien... c'est si bon de reprendre courage, d'avoir une raison de se réveiller le matin.

Elle l'attira à lui et l'embrassa passionnément. Cette fois, Julien prit garde à ses mains.

Ils parlèrent jusqu'à l'aube.

Sophie lui avoua qu'elle voulait désespérément écrire. Elle remettait sans cesse au lendemain, par manque de courage, le début d'un roman qu'elle avait en tête.

— Dès mon réveil, j'écris la première phrase, décida-t-elle. Ce matin, je veux seulement penser à toi. Maintenant, mon chéri, va dormir. Tu as l'air un petit peu fatigué.

Ils s'embrassèrent pour la centième fois et Julien repartit par la fenêtre qu'il referma derrière lui. La canadienne s'était soulevée jusqu'à la taille tandis qu'il sautait sur le toit. Sophie ferma les yeux pour retrouver la vision fugitive, charmante et un peu indécente, qui la troublait et l'attendrissait à la fois.

Une peur soudaine lui fit tourner la tête, à nouveau, vers la fenêtre. Elle vit le carreau cassé et soupira, rassurée.

Elle n'avait pas rêvé.

XIII

Julien ne dormit que six heures. Il s'éveilla d'un coup, le cœur battant. Ce matin, le rêve commençait de l'autre côté du sommeil. Ses premières pensées furent pour Sophie. Il aimait et son amour était partagé.

Il prit un bain, s'habilla et entra dans la chambre de Pascal. Elle était vide. Il avait faim et suivit les couloirs, au hasard, espérant trouver la cuisine. Il croisa Louise, fraîche, déjà coiffée et qui paraissait d'excellente humeur.

— Bien dormi ?

Et sans attendre la réponse :

— Pascal est parti avec Daniel.

— J'ai faim, dit Julien. Quelle heure est-il ?

— Midi.

Elle entraîna Julien jusqu'à la salle à manger. Carmen était assise à la grande table de marbre qui occupait plus de la moitié de la pièce. Elle portait un pyjama mauve à rayures blanches. Les yeux bleus, d'ordinaire si clairs, étaient presque noirs, un effet d'ombre qu'accentuait le pli entre les sourcils. Elle observait, maussade, son bol de café au lait et, d'un doigt, creusait des trous dans la motte de beurre. Elle jeta un bref regard vers la porte et releva machinalement une mèche blonde qui tombait sur son nez. Elle ne dit pas un mot.

— Carmen est d'humeur exécrable quand elle se réveille, dit Louise. N'y faites pas attention.

Les états d'âme de Carmen ne concernaient pas l'estomac de Julien. Il engloutit sans coup férir six tranches de pain blanc noyées sous le beurre et la confiture.

— Qu'est-ce que vous mangez, demanda Carmen d'une voix morne, des toasts beurrés ou du beurre à la mie de pain ?

La bouche pleine, Julien se contenta de répondre par un sourire radieux. Carmen ne put s'empêcher de pouffer.

— Vous êtes fou, dit-elle presque gentiment. Vous voulez mon œuf à la coque ?

Julien fit oui de la tête.

— Je vous préviens, il est froid.

— Aucune importance.

Elle le regardait manger et demanda tout à coup :

— Que pensez-vous de la vie ?

— Ce qu'en pense l'avocat du *Sapeur Camembert* : « La vie est un tissu de coups de couteau qu'il faut savoir boire goutte à goutte. »

— Vous répondez toujours par une plaisanterie ou une phrase marrante pour cacher ce que vous pensez vraiment. Je suis sûre pourtant que vous n'êtes pas un type superficiel.

— En général, je garde mes idées pour moi, avoua

Julien. Je trouve plus facile d'enlever mon caleçon que de livrer mes pensées.

— Moi aussi.

Elle réfléchit un instant.

— Maman n'aime que les types superficiels.

— Vous n'êtes pas obligée d'aimer les mêmes gens.

Elle le regarda longuement, ouvrit la bouche pour dire quelque chose et changea d'avis.

— Ouais..., fit-elle simplement.

Elle se leva.

— Je vais me remettre au lit.

Elle quitta la salle à manger en traînant les pieds.

Julien se rappela Carmen dansant comme une folle dans la cave du Lorientais. Il termina son œuf.

Dans sa chambre, il enfila la canadienne et songea un instant à retourner chez Sophie par le chemin des toits. Il décida que ce n'était pas une bonne idée. « Il faut que j'apprivoise la bigote. La porte, ça fera meilleur effet. »

Il rencontra Li Phang qui avait remis son uniforme d'adjudant et lui demanda où se trouvait Mme Morin.

— Dans sa chambre. Je vais l'appeler.

Il ajouta d'un ton sans réplique :

— Attendez au salon.

Louise Morin trouva le jeune homme debout, le front appuyé à la vitre de la grande baie.

— Vous êtes ici chez vous, Julien. Vous connaissez le chemin, revenez nous voir quand vous le désirez.

— Je peux vous prendre au mot ?

— Je suis très directe. Si je n'aime pas quelqu'un, je le dis sans manière. Je suis assez riche pour me payer ce luxe.

Dans l'entrée, elle dénicha une carte de visite

enfouie sous les factures et les invitations traînant sur un petit secrétaire Louis XVI.

— Mon téléphone. Ne le perdez pas. Je ne suis pas dans l'annuaire.

Elle embrassa Julien sur les joues.

— Où allez-vous ?

— A côté, au numéro 14.

— J'allais vous proposer le fiacre. Elle rit. Vous aurez fait aussi vite à pied.

Elle ouvrit la porte et regarda Julien avec attention, comme si elle le voyait pour la première fois.

— Quel âge avez-vous ?

— Seize ans.

— L'âge de Carmen.

Elle l'embrassa à nouveau sur les deux joues, le laissa passer et referma la porte.

Julien descendit l'escalier en courant. A chaque palier, il sautait à pieds joints les six dernières marches.

Il traversa le trottoir et la rue sans ralentir et se laissa tomber, plié en avant, sur le muret du quai. Il voulait reprendre son souffle et surtout prolonger l'attente délicieuse d'un bonheur certain. L'eau grise du fleuve coulait entre les berges. Sans le repère d'une péniche, d'un chien crevé ou de quelque caisse de bois flottant, il eût été difficile de décider dans quelle direction s'en allait la Seine. « On suit souvent la vie à contresens, pensa Julien. J'ai la chance d'aller toujours avec le courant. » Il mit bout à bout les maillons de cette chaîne de coïncidences qui l'avait guidé, la nuit dernière, au chevet de Sophie : 1) rencontre avec l'ivrogne Pascal Cousin à l'Hôtel-Dieu; 2) la « minaudière » quitte Agen pour occuper avec son mari l'appartement des Bourget — elle le chasse de sa lingerie; 3) il oublie que lundi est jour de relâche. Le bureau de l'administrateur est fermé. Pas de sous. Pas de train; 4) décision totalement arbitraire de suivre le boulevard Saint-Michel et de prendre à droite, carrefour Saint-Germain; 5) Pascal l'aperçoit sur le trottoir. Pourquoi tournait-il la tête à cet instant précis ? 6) Prévert a oublié son portefeuille; 7) la rencontre au Lorientais avec Louise Morin; 8) Pascal décide de suivre un cours d'éducation sexuelle et l'entraîne sur les toits; 9) le rêve prémonitoire. S'il n'avait pas reconnu le décor il serait resté avec Pascal devant la fenêtre de Carmen; 10) Sophie s'éveille au même instant et allume sa lampe de chevet.

Cette analyse confirma Julien dans l'idée qu'on donne le nom de « hasard » ou de « coïncidence » à l'inexplicable. « Un jour le hasard sera mis en équation. » Il ignorait que, depuis quinze ans, Einstein séchait sur ce problème, et se dirigea vers le 14, quai d'Orléans pour affronter Elisabeth Ségur.

— Entrez, dit-elle.

Elle avait les yeux rougis de larmes et la mine défaite. « Le bonheur de sa fille ne lui réussit pas », constata Julien. Elle referma la porte, ils restèrent quelques secondes l'un en face de l'autre. Ils avaient beaucoup à se dire mais pas le code qui leur eût permis de communiquer. Cédant à un élan irraisonné, Julien l'entoura de ses bras et l'embrassa. Il était coutumier de ces gestes impulsifs qui le prenaient toujours par surprise. Elisabeth feignit le dégoût d'un contact si charnel et repoussa le jeune homme. Elle fut cependant touchée de cette réaction tendre et spontanée. Elle aurait voulu s'excuser, remercier Julien, les mots ne sortirent pas de ses lèvres. Elle dit simplement :

— Sophie vous attend.

Julien ouvrit la porte et entra.

La chambre était en ordre. Un édredon bordeaux recouvrait la couverture de laine. Trois oreillers en satin rose, empruntés au sofa du salon, soutenaient le dos de Sophie qui était assise dans son lit. Elle était coiffée. Le fond de teint, le rose aux pommettes, l'œil souligné de crayon brun, les cils collés au rimmel, la bouche peinte au rouge Baiser lui donnaient l'apparence d'une fillette déguisée en grande personne.

— Je cherche Sophie Ségur, vous ne l'auriez pas vue ? demanda Julien.

— Je me demandais si tu allais faire semblant, dit Sophie. Je t'aime.

Elle lui tendit une boîte de coton hydrophile et une bouteille de lait de concombre.

— Commence par la bouche. On ne peut pas s'embrasser avec ce truc sur mes lèvres.

Julien l'embrassa, se barbouillant du rouge Baiser. Ils passèrent ensuite quelques minutes à se démaquiller mutuellement.

Sophie attrapa une feuille de papier sur la tablette posée sur ses cuisses.

— Ecoute. C'est la première phrase de mon roman.

Elle lut :

— « Chapitre premier. » Qu'est-ce que tu en penses ?

— Sublime, dit Julien. Tous les chefs-d'œuvre commencent par ces deux mots.

— Je ne pense qu'à toi. Tu occupes toute la place. Je vais être pour des années le plus paresseux des écrivains.

Ils parlèrent, jouant avec les mots et le bonheur, flirtant. Une heure passa à la vitesse d'un souffle.

Julien lui demanda comment les choses s'étaient déroulées avec sa mère.

— Ce n'est pas une femme méchante, dit Sophie. Le problème c'est que je la comprends trop et qu'elle ne me comprend pas. Elle confond ce qu'on lui a appris avec ce qu'elle pense. Je lui ai dit un jour : « L'intelligence c'est d'avoir le courage de changer d'avis. » Elle m'a répondu : « Langage d'anarchiste. » Je lui ai dit : « Langage, mon cul ! » Elle m'a dit : « Tu vois, tu parles comme eux. » J'ai ri parce qu'elle avait raison. Je suis un cas dans cette famille. Mon père est revenu pour deux heures, la semaine dernière. Pas en permission. Une question d'intendance, de l'essence pour son unité. Les militaires passent leur temps à se faire des vacheries. Si j'ai bien compris, les galonnés dans les bureaux considèrent que les ennemis sont les mecs qui se font tuer au front, pas les boches. Ségur était furieux. Après avoir râlé pendant une heure, il s'est agenouillé au pied de mon lit et s'est mis à prier. Moi, je voulais qu'il m'embrasse, qu'il me questionne sur le genre de plaisir que j'éprouvais à ma condition d'infirme. Il répétait : « Notre Père qui êtes aux cieux... » Je voulais qu'il m'appelle sa petite fille, qu'il me prenne dans ses bras. J'avais des « que Votre volonté soit faite... », des « aujourd'hui et à l'heure de notre mort ». J'ai crié : « Tu as toutes tes nuits et les heures de repos pour tes conférences avec le Seigneur. Cinq minutes avec ta fille, c'est trop demander ? » Il s'est levé, m'a regardée et s'est mis à pleurer. Je ne l'avais jamais vu pleurer. J'étais ahurie. Pas émue, ahurie. Les larmes tombaient si dru qu'elles mouillaient mon drap. Il est reparti sans oser m'embrasser. Très lui-même et très silencieux. Je me demandais s'il pleurait parce qu'il avait oublié la fin de sa prière ou parce que ses bottes le serraient aux pieds. Ma mère est arrivée avec son visage de circonstance. Quand une situation tourne à la tragédie, ou le premier jour de ses règles, elle enfile son visage de circonstance. Elle m'a dit : « Ton père se reproche ton accident. » Elle utilise toujours avec pudeur le mot « accident » pour parler de ma vie foutue. J'avais compris deux choses. Que mon père s'en voulait d'être intact et vivant, qu'il allait faire le con à la tête de ses blindés et que ma mère trouvait immoral qu'une créature punie pour ses péchés envoie à la mort un homme pieux qui, lui, méritait de vivre. J'allais supporter le poids physique de quinze kilos de jambes pétrifiées et le poids spirituel d'un papa héros décapité à la guerre comme le chevalier Bayard. J'ai dit à ma mère qu'elle avait tort de s'en faire. Le héros allait revenir et terminer ses vieux jours en pêchant le goujon dans la Seine et râler au dîner parce qu'il n'aime pas la soupe aux poireaux. Comment veux-tu faire comprendre la vie à ces gens, Julien ?

Il ne répondit pas.

— Et pourtant je les aime, conclut-elle à voix très basse.

— Si tu peux écrire comme tu parles, dit Julien, tu n'auras pas de problème pour ton roman.

Elle crut qu'il se moquait mais ne lui en voulut pas. Elle pensa qu'il méprisait ses parents. Elle avait tort.

Julien était presque un enfant mais la guerre lui avait beaucoup appris sur le comportement de l'*Homosapiens*. « Je n'ai pas les moyens de traîner en justice 99 pour 100 de la race humaine, avait-il dit un jour à Charlie. Je préfère essayer de comprendre que de juger. » Il s'en tenait en général à cette philosophie.

Elisabeth entra dans la chambre avec le déjeuner de Sophie. Une salade d'endives et un bifteck déjà coupé en morceaux.

— Je suis dans le salon, ma chérie, dit-elle. Si tu veux quelque chose, ne sonne pas, appelle-moi.

Elle repartit, emportant une bouteille d'eau minérale vide.

— Tu crois qu'elle a entendu ? demanda Julien.

— Non. De toute façon, elle ne comprend pas le turc.

Julien regardait l'assiette.

— Elle coupe toujours ma viande, dit Sophie. Elle doit penser qu'au théâtre je mangeais avec mes pieds.

Elle piqua un morceau de viande et tendit la fourchette vers Julien qui ouvrit la bouche.

— Avec combien de filles as-tu fait l'amour depuis deux mois ? demanda-t-elle.

— Toujours puceau, dit Julien.

— Ce ne sont pas les occasions qui doivent te manquer.

— Non. Sans doute je t'attendais.

Elle posa le plateau sur la table, à la tête du lit, repoussa la couverture et le drap jusqu'à sa taille.

— Cette moitié de Sophie est à toi, dit-elle. Le reste ne sera jamais à personne. Ni à regarder ni à toucher. Je veux que tu coures, que tu aimes, que tu jouisses de la vie pour moi. Je ne serai pas jalouse. Je te le jure.

Mais raconte-moi tout, sans tricher, sans rien cacher... Tu seras mon corps, mon sexe, ma seule chance d'exister. Tu veux ? Tu n'as pas peur ?

Comme il ne répondait pas, elle répéta :

— Tu veux ?

— Oui, dit Julien.

XIV

Il était midi passé quand Julien sonna à la porte de l'appartement de l'avenue Emile-Deschanel. Aïcha, la jeune bonne algéroise, lui ouvrit. Elle sortait faire des courses.

— Elle est réveillée ?

Aïcha rit.

— Réveillée... si on peut dire !

Julien trouva Lola dans la cuisine, vautrée sur une chaise. Elle était encore en chemise de nuit. Un poste de radio en bois de merisier partageait l'étage supérieur du buffet de campagne avec un jambon de Bayonne et six boîtes de lentilles en conserve. C'était l'heure des informations. Au menu du jour, le retour de Maurice Thorez en France. L'ouverture par le ministre de la Reconstruction de la ligne Paris-Brest. La signature à Moscou du pacte franco-soviétique. Une mise au point du secrétariat à l'Alimentation : pas question de supprimer les cartes de pain. La ration quotidienne reste fixée à 350 grammes. Et, pour finir, un reportage différé sur l'entrée des troupes de Leclerc à Strasbourg.

Lola n'écoutait pas. Elle semblait hypnotisée par une pile de tartines grillées et deux œufs au plat baignant dans le gras d'une tranche de lard fumé.

— Avant, j'avais tout le temps faim. Depuis qu'il y a de la bouffe à vol d'eau, manger m'ennuie.

— A vau-l'eau, dit Julien. De la bouffe à vau-l'eau.

— Monsieur Sait-Tout-Comprend-Rien, dit Lola. Que nous vaut l'honneur de ta visite ?

— 6 000 francs.

— Laisse-moi deviner... Pour Pénélope ?

— Non. Un truc qui roule mais qui n'a pas de moteur.

— Un sifflet ?

Julien rit.

— Rien à voir avec les flics.

— Tu flambes... Tu as trouvé une martingale à la roulette.

— Je te donne une dernière chance : c'est un objet de la taille d'une chaise. Deux grandes roues, deux petites roues mobiles, un appui-pied. Souvent la Rolls du héros qui revient de guerre.

— Un fauteuil roulant !

— Tu es formidable, Lola. Subtile. Rapide. Rien ne t'échappe.

— Assez subtile en tout cas pour deviner que tu as revu Sophie, que tu es amoureux et que tu fais une connerie.

Elle attrapa une tartine qu'elle plongea dans le jaune d'œuf.

— Raconte, dit-elle.

Julien était pudique quand il s'agissait de ses pro-

145

pres sentiments. Il avait mis au point avec sa sœur un jeu d'ombres et de mots. A sa façon, il lui parla de la balade sur les toits, de la nuit avec Sophie, de sa visite le lendemain. Elle entraîna Julien dans la chambre à coucher. Elle sortit de l'armoire une valise de cuir si maltraitée par le temps et les voyages qu'un clochard ne l'eût sans doute pas ramassée sous un pont. La valise était vide. A l'aide d'une fourchette encore tachée du jaune des œufs au plat, Lola souleva un double fond.

Julien regardait les billets de 50, 100 et 500 francs suisses alignés sur une vingtaine de rangs.

— Putain de bordel de merde, dit-il, ça fait combien de millions ?

— Je n'ai pas compté, dit Lola. De toute façon, je ne sais pas compter.

— Pas de problème d'argent de poche..., fit Julien rêveur.

— Je n'ai rien pris.

— Pourquoi ?

— Ce n'est pas mon argent.

— L'argent de ton mari, c'est ton argent, non ?

Lola ne répondit pas et sortit un paquet de billets de 500 francs.

— Pas comme ça, dit Julien. On va prendre un billet par liasse. Ça se remarque moins.

— Le cours du franc suisse est à 2,12 au marché noir. J'ai appris ça hier soir entre le fromage et le pousse-café.

Ils s'amusèrent à tirer les billets au hasard, parmi les liasses.

— Il n'a pas de coffre, ton Jules ? demanda Julien.

— Un coffre énorme. Mais il a peur du gouvernement et des voleurs. Il dit que mettre de l'argent au coffre le fait penser à une femme qui a peur d'être violée et se parfume le sexe. J'ai découvert aussi l'endroit où ma belle-doche cache ses bijoux. Il faut le voir pour le croire. Viens.

Elle entraîna son frère dans la chambre à coucher de Mme Leroy. Elle décolla du mur un tableau de Dufy (un groupe d'élégantes au pesage de Longchamp), glissa une main derrière le cadre et en extirpa une clé. Elle ouvrit la porte de la salle de bains. Elle s'avança jusqu'aux toilettes, souleva le couvercle de la chasse d'eau et fit signe à Julien de regarder. Protégés par un sac de plastique transparent, perles fines, brillants, émeraudes, rubis, scintillaient de mille feux, renvoyant la lumière à la surface de l'eau en touches mouvantes et colorées.

— Qu'est-ce que tu en penses ? demanda Lola. On se croirait dans une grotte de l'île aux Pirates.

Julien ne se laissait pas facilement impressionner. Il resta pourtant sans voix. Lola sortit les bijoux de leur cachette. Elle défit adroitement le nœud qui fermait le sac de plastique et le tendit à son frère. Ravie de son succès, elle décida de prolonger le jeu. Elle releva sa chemise de nuit, s'assit sur le couvercle en porcelaine bleu ciel des toilettes et pissa. Elle avança une main :

— Collier, s.v.p.

Julien sortit du sac trois rangs de perles qu'il laissa couler au creux de la paume ouverte. Lola s'essuya avec le collier comme elle l'eût fait d'un vulgaire Kleenex. Souriante, elle remit la parure en place. Ce genre d'extravagance, tout à fait dans le style insolent et exhibitionniste de la jeune femme, n'étonna pas Julien mais il eut l'impression que la comédie, cette fois, était davantage un défi qu'une gaminerie de mauvais goût. Le jeu n'avait plus la légèreté et l'innocence de leurs inventions d'adolescents terribles qui les faisaient rire aux éclats et désolaient Charlie. Lola, délibérément, le provoquait.

Les bijoux réintégrèrent leur grotte sous-marine.

— Depuis que je suis fidèle, dit Lola, j'ai le temps de me confesser. Tous les mardis. Je donne mes vieilles robes de trois semaines aux pauvres de la paroisse. Le reste du temps, je fouine. Je me demandais pourquoi Mme Leroy ne laisse jamais la bonne entrer dans sa chambre. Elle prétend que c'est une habitude de jeune fille. On fait son lit. Son lit, mon œil ! J'ai cherché, j'ai trouvé. Et, Léon, mon mari... Je savais qu'il cachait quelque chose. Il parle toujours de ses amis au gouvernement. La vérité, c'est qu'il a peur. Peur que son compte en banque soit bloqué. Peur d'être nationalisé. Peur du nom de son père. Entre-temps, l'argent file. On achète, on bouffe, on s'habille, pas difficile d'imaginer que le robinet était caché quelque part. J'ai pris ma fourche de sourcier, j'ai découvert le puits.

Ils étaient revenus dans la chambre de Lola. Elle compta les billets.

— 3 200, ça doit faire le compte. Même un peu plus. Tu sais où les changer ?

Jeanine était la star du cours Dullin. Elle avait donné Electre des *Mouches* et Hermione avec la sincérité et l'expérience d'une actrice consommée. Dans la vie, elle n'avait rien d'une tragédienne. Son sens pratique était à la mesure de son inspiration en scène. Elle acceptait avec beaucoup de charme et de distinction les faveurs d'un Belge naturalisé français, agent de change place de la Bourse. Elle présenta Julien à M. Serge Beaufort qui se fit un plaisir d'escompter les francs suisses à un cours presque honnête : il était généreux avec les amis de sa maîtresse.

Julien arriva les poches pleines dans un magasin d'accessoires orthopédiques du boulevard Sébastopol. Il discuta pour le principe le prix d'une chaise roulante en métal léger qui possédait l'avantage d'être pliante et l'inconvénient d'avoir déjà servi. Affaire conclue, il lui restait 1 220 francs. Il décida de s'offrir un bon repas.

Il entra sur sa chaise au Gourmet, restaurant de marché noir maintes fois vanté par Florence. Il fut traité avec attention et déférence. Attention pour son état d'infirme — la déférence étant proportionnelle à la courbe géométrique de ses pourboires. L'estomac en paix, il quitta le restaurant de fort bonne humeur.

Pont Marie, il toucha le cœur d'un groupe de jeunes laborantines en blouses blanches qui retournaient au travail. Elles roulèrent sa chaise jusqu'au 14, quai d'Orléans. Avant de le quitter, elles l'embrassèrent, l'une sur les joues, l'autre sur la bouche, la troisième sur le front, une dernière sur les yeux.

— Qu'est-ce que tu as ? demanda la plus jolie, une brunette rieuse et bien en chair. La poliomyélite ?

— Non, dit Julien. Paresse aiguë.

Il se leva, plia la chaise, et entra dans l'immeuble sous les rires et les insultes.

Julien ne s'attendait pas à la réaction de Sophie.

— Tu vas me pousser là-dessus jusqu'à la place de

149

l'Etoile, pour ranimer la flamme, comme les vieux cons de la dernière guerre ?

Elle jeta rageusement à travers la chambre son écritoire, son cahier, son crayon et tira la couverture sur sa tête. « Il va falloir que je m'habitue au coup de la couverture », pensa Julien. Il n'était pas fâché. Il attendit. Comme Sophie ne faisait pas surface, il dit :

— Tu pourrais te balader dans l'appartement. Répondre au téléphone... Regarder la Seine par la fenêtre du salon.

— Je me fous de la Seine ! cria Sophie. Je ne veux pas qu'on me porte.

Julien évalua les chances qu'il avait de convaincre Sophie avec des mots et décida qu'elles étaient proches du zéro absolu. Il se souvint de la réaction de sa sœur quand il s'était risqué à donner son avis au sujet du mariage : « Ce sont mes onions !... » Pourtant, deux heures après la cérémonie, elle tombait dans ses bras en pleurs et lui disait : « Tu aurais dû m'empêcher... » Il se promit de ne pas commettre la même erreur. Dans certains cas, la manière forte s'imposait. « Elle va se débattre, m'insulter, aucune importance », pensa-t-il pour se donner du courage. Il attrapa Sophie, un bras sous les genoux, l'autre à la taille, l'enleva du lit et la déposa sur la chaise roulante. Elle ne se débattit pas mais répétait, lèvres crispées, dans une sorte de sifflement : « Laisse-moi... Laisse-moi... Ne me touche pas... » Ses jambes amaigries pendaient inertes, blanches... Sa chemise découvrait le ventre. Julien vit le sexe tendre, mal protégé de poils châtains, étrangement vivant entre les cuisses mortes. Il ramassa l'édredon tombé à terre et le jeta sur le fauteuil. Dès qu'elle fut couverte Sophie hurla :

— Maman !... Maman !...

Mᵐᵉ Ségur entra dans la chambre. Sans dire un mot, elle s'approcha de Sophie, s'agenouilla, et la prit dans ses bras. Julien regarda un long moment la mère et la fille engluées l'une à l'autre. Il quitta la pièce.

Depuis trois jours, il avait peu dormi. La bouteille de cheval-blanc bue au Gourmet l'envahissait tout à coup d'une plaisante torpeur. Il repéra le sofa et s'allongea. Mᵐᵉ Ségur allait revenir et dire : « Elle vous attend. »

Sophie s'était calmée dans les bras de sa mère. Elle regrettait de n'avoir pu dominer sa réaction hystérique quand Julien avait glissé son bras sous ses jambes. « Il est arrivé essoufflé des huit étages escaladés la chaise sur le dos, heureux du plaisir qu'il croyait me faire. Moi, je l'insulte. Il est généreux, il m'aime, et je le chasse pour la seconde fois. Je suis folle. Je suis idiote. Je veux mourir. »

Elle ne put retenir ses larmes.

— Il ne reviendra plus, dit-elle.

— Il n'est pas parti, répondit Elisabeth. J'aurais entendu la porte.

La vague de bonheur qui submergea Sophie eut pour effet de transformer en torrent les larmes discrètes coulant sur ses joues.

— Je l'aime tant, maman.

Depuis deux mois, Mᵐᵉ Ségur avait tout essayé pour convaincre sa fille d'utiliser une chaise orthopédique. Avec une pointe de dépit, elle reconnut que Julien s'y était mieux pris.

— Va voir s'il est là, demanda Sophie.

Elisabeth marcha jusqu'à la porte. Elle aperçut Julien sur le sofa.

— Ça alors ! s'exclama-t-elle.

— Quoi ?

— Il dort.

Sophie éclata de rire. C'était du pur Julien. Elle pensait vivre une tragédie et lui s'endormait comme un bébé. Elle décida de s'exercer au maniement du fauteuil. A sa grande surprise, elle y prit un réel plaisir. Pour la première fois depuis son accident, elle était autre chose qu'un vulgaire objet. « Je bouge, se répétait-elle, je bouge. » Elle passa la porte et entra dans le salon. Elle s'approcha du sofa. Elle résista au désir impérieux de caresser la joue du garçon endormi. Les minutes passèrent. Elle le regardait, un léger sourire aux lèvres. Les larmes, à nouveau, envahirent ses joues. Julien s'éveilla.

— Je vais t'acheter un essuie-glace, dit-il. Ce sera mon prochain cadeau.

Lorsque Mme Ségur sortit de la cuisine avec un plateau chargé d'une théière, de trois tasses, d'un flacon de saccharine et de quelques biscuits secs, elle trouva les jeunes gens qui bavardaient gaiement.

— Malheureusement nous n'avons pas de lait.

Elle servit le thé.

— Etes-vous croyant ? demanda-t-elle à brûle-pourpoint.

— Pas à votre façon, répondit Julien.

— Il n'y a qu'une façon de croire en Dieu.

Le ton n'admettait pas de réplique.

La conversation reprit sur un sujet moins délicat : le problème du ravitaillement. On passa de la pénurie de viande au général de Gaulle. Mme Ségur dit ce qu'elle pensait de l'entrée de ministres communistes au gouvernement. Elle se tourna vers Julien.

— Sophie m'a dit que vous étiez communiste.

La jeune fille qui avalait une gorgée de thé faillit s'étrangler.

— Tu n'as pas compris ce que je voulais dire, maman !

Ce genre de questions plaisait à Julien.

— Pouvez-vous préciser, madame ? demanda-t-il. Stalinien ? Trotskiste ? Marxiste ?...

— Je veux dire communiste, dit Elisabeth. Rouge.

— Mon problème, en politique, expliqua Julien, c'est l'utilisation des idées les plus généreuses à des fins personnelles : l'ambition ou l'amour du pouvoir. J'aime les idées généreuses, rarement les hommes qui les exploitent. Les communistes, Mme Ségur, je les ai connus pendant quatre ans. Comme votre mari, ils se sont battus pour la France. J'ai vu un jour, à Morzine, un communiste mort. Un soldat autrichien l'avait tiré au ventre et laissé saigner dans la neige. Ce communiste était blanc et couvert de fleurs jetées sur son corps par des paysans savoyards. C'était un cadavre très français, très humain et très respectable...

Il y eut un silence. Julien, qui se laissait rarement entraîner par les mots, pensa qu'il serait plus poli de conclure.

— Pendant l'Occupation, j'étais communiste de cœur. Si cela peut vous rassurer je n'ai pas l'intention de m'inscrire au parti de Maurice Thorez.

— Pourquoi ? demanda Sophie.

— Parce que je vois venir les choses... Je suis un idéaliste pragmatique.

— Comme saint Thomas, dit Elisabeth.

Pour la première fois, elle échangea avec le jeune

153

homme un sourire où il crut découvrir une certaine malice.

— Mon mari m'a dit un jour que le Christ était communiste. Je me suis fâchée.

Soudain elle s'anima.

— Ils ont libéré Strasbourg. Le reportage est passé à la radio.

— Je l'ai écouté à midi, dit Julien.

Ces derniers mots gagnèrent le cœur de Mme Ségur.

— Je vous ai mal jugé, dit-elle.

Le téléphone sonna.

Elisabeth se dirigeait vers le guéridon couvert de la petite nappe en dentelle qui donne aux gens modestes l'illusion du luxe quand Sophie l'arrêta de la voix :

— Laisse-moi répondre.

Elle glissa adroitement son fauteuil entre les meubles et décrocha le téléphone.

— Bonjour, madame Levoisier... Oui... C'est Sophie...

Elle tendit le récepteur à sa mère.

— Laurence ?... Evidemment, c'était Sophie... Elle circule maintenant dans l'appartement. Non. Le Pr Armand dit qu'il faut attendre...

La jeune fille roula vers Julien. Mme Ségur leur tournait le dos. Ils profitèrent de l'occasion pour s'embrasser.

— Hélène ? s'indignait Elisabeth... Impossible ! Sur ma tombe, je refuserai de le croire... Répète, je me pince pour être certaine de ne pas rêver... Avec Louis Garnier !... Ne prête pas l'oreille à ces ragots. Hélène est la fidélité même... Il n'y a pas de fumée sans feu, bien sûr... A propos, tu as écouté Paris-Inter ?... Oui. Il a pris Strasbourg... Que tu es bête !

Pas tout seul, bien sûr... (Elle rit.) Quoi ? En prison ? Je n'aurais jamais pensé qu'il collaborait... Demain, si tu veux, après les vêpres... Au Régal...

Elle raccrocha, tourna la tête et vit les jeunes gens qui se tenaient la main. Son cœur se serra. « Il est trop jeune, il va l'oublier, pensa-t-elle. Il va tomber amoureux d'une fille qui court sur ses jambes et qui l'emmènera danser. Ma pauvre Sophie... Je ne peux rien faire... Je ne peux rien faire pour toi. » Bouleversée, elle quitta brusquement le salon.

A la même seconde, les lampes s'allumèrent. On rendait le courant aux Parisiens.

— Merde, dit Julien. Déjà six heures. Il faut que j'aille au théâtre. Je suis du lever de rideau.

Il traîna encore une demi-heure. Sophie dut le pousser jusqu'à la porte.

— A demain matin, dit-il.

— Tu vas prendre le train après le théâtre ? demanda-t-elle.

— Je vais téléphoner à Louise Morin. Si elle n'a pas changé d'avis, je coucherai au 16, quai d'Orléans. Double avantage. Je serai à vingt mètres de ta fenêtre et je pourrai te voir dès que tu te réveilleras.

Ils s'embrassèrent.

Elle attrapa sa nuque et retint son visage contre le sien. Leurs fronts se touchaient. Les yeux de Julien étaient si proches que Sophie ne voyait qu'un œil. Un œil immense qui la regardait.

— N'oublie pas..., murmura-t-elle. Je ne suis pas jalouse. Je ne veux pas être jalouse. S'il se passe quelque chose tu me raconteras, tu le jures ?

Julien eut la conviction qu'elle était sincère.

— Je le jure, dit-il.

XV

L'état de grâce qui durait depuis la visite nocturne faite à Sophie se prolongea en scène. Face aux visages anonymes qui attendaient le rire, l'oubli de l'ennui, l'illusion des sentiments, Julien éprouva cet amour du public dont parlait Dullin. Il bougeait, lançait ses répliques, violait la salle qu'il palpait, caressait de mille tentacules mystérieusement surgis d'un double de lui-même. Un double invincible mais plus éphémère que l'insecte archiptère.

A la fin du premier acte, Dullin, qui regagnait le foyer avec les acteurs, se retourna et attendit Julien.

— Tu y es, petit, dit-il. Tu les a eus... Bravo. Bravo...

Un événement ! Dullin était à l'ordinaire aussi avare de compliments avec les autres qu'envers lui-même.

Julien n'osa pas avouer qu'il avait joué pour Sophie.

Armand Lacouture avait connu son heure de gloire dans les années 20 et jouait maintenant les utilités. Son

156

rôle dans le *Le Soldat et la Sorcière* se limitait à trois répliques. Il donnait l'une au premier acte, la seconde et la troisième avant le baisser du dernier rideau. Tout en se coiffant, le nez collé au miroir, il observait, agacé, Julien qui se démaquillait en sifflotant. Partager sa loge avec un débutant !... Il était loin, le temps où l'on faisait respectueusement la queue à sa porte et où l'on n'entrait que pour offrir des fleurs ou lui servir un compliment.

On frappait justement à la porte.

— Entrez, dit-il.

Contre toute évidence, il espérait toujours la visite de quelque admirateur ébloui.

Deux femmes pénétrèrent dans la loge exiguë. L'une, la quarantaine, vêtue sans recherche d'une robe de laine, un châle sur les épaules. « Elle a dû être très belle », pensa Armand. Son visage était toujours plaisant. L'autre accusait cinquante ans passés. Ses cheveux teints tombaient sur ses épaules en longues boucles rappelant la coiffure romantique d'une héroïne de Chateaubriand. Le chapeau couvert d'oiseaux n'était d'aucune époque mais n'aurait pas démérité dans la volière du jardin des Plantes. Elle tendit gracieusement le poignet.

— Princesse Sonia Igorovna Semiankov.

Armand se pencha avec tant d'empressement sur les doigts surchargés de bagues qu'il trébucha et faillit manquer son baisemain.

— Armand Lacouture. Mes hommages, princesse.

Julien présenta sa mère.

Nouveau baisemain.

— Sonia t'a trouvé très drôle, dit Charlie à son fils.

157

— Drôle ?... s'écria la princesse. J'ai ri à m'en donner le hoquet. Votre garçon est un génie, Charlotte. Tout simplement un génie !...

Ecœuré, le vieil acteur retourna à sa table de maquillage. Sonia se lança dans une analyse lyrique des joies, des misères et des grandeurs du métier d'acteur. Elle-même, au début du siècle, « encore une enfant ! », avait joué pour la tsarine, à Saint-Pétersbourg, avec quelques demoiselles de la haute aristocratie qui jouissaient du privilège rare de paraître à la cour. Charlie profita d'une seconde de répit (la princesse reprenait souffle) pour donner à Julien la raison de leur visite.

— Sonia a décidé de louer son appartement de la rue de Varennes. Elle va habiter avec nous à Saint-Nom-la-Bretèche. Je couche chez elle ce soir pour l'aider au déménagement.

— Ces questions d'argent me tuent..., soupira la princesse. Ma fortune est bloquée en Suisse. Il faut attendre la fin de la guerre.

— Vendez quelques perles, suggéra perfidement Julien.

Sonia poussa un cri.

— Jamais !... Mes bijoux sont nacrés. Mon seul lien avec le passé. Ils ne sortiront pas de la famille. Plutôt mourir de faim !

Elle poursuivit d'un ton plus posé.

— Je l'ai d'ailleurs précisé dans mon testament : je veux être enterrée avec tous mes bijoux.

— Comme les pharaons, dit Julien.

« A la nuance près qu'en Egypte, ce n'était pas du toc », ajouta-t-il pour lui-même.

— Voilà tes clés, coupa Charlie.

Elle estimait que la conversation s'engageait sur un terrain délicat.

— Et Gérald ?

— Il passe la nuit à l'étude. Il est charrette.

Ce dernier mot surprit la princesse.

— Il ne part pas pour l'échafaud, expliqua Julien en souriant. *Charrette*, en langage d'architecte, ça veut dire : être à la bourre.

— A la bourre ?

— En retard dans son travail.

Julien prit les clés.

— Je vais peut-être rester à Paris.

— Où donc, mon chéri ?

— Chez des amis. Dans le quartier.

Julien se montrait toujours d'une extrême discrétion au sujet de sa vie privée. Il s'entendait parfaitement avec sa mère et ne redoutait aucun sermon moralisateur, mais une sorte de pudeur le retenait de parler de ses émotions secrètes. Charlie se plaignait d'apprendre par d'autres les événements importants de l'existence de son fils. « S'il se marie, disait-elle, je le saurai par la rubrique du *Figaro*. » Elle n'insista donc pas.

— Je t'ai trouvé très bon, ce soir, dit-elle.

Une sonnerie annonçait la fin de l'entracte. Avant de quitter la loge, Sonia se tourna vers le vieil acteur.

— Nous regagnons nos fauteuils pour vous applaudir, monsieur Lacouture.

Réconforté par ces paroles, Armand baisa les diamants pour la seconde fois.

— Tu as l'air fatigué mais très heureux, dit Charlie à son fils qui l'embrassait.

Julien sourit.

— « Tout est pour le mieux dans le meilleur des mondes », comme dirait Florence.

Les deux amies s'éloignèrent. Julien entendit la voix de Sonia qui se perdait dans le couloir.

— Ce garçon est délicieux, Charlotte, délicieux...

Armand Lacouture se tourna vers Julien.

— Les bijoux..., c'est du toc ?

— Des copies... Les vrais sont au coffre.

Impressionné, le vieil acteur siffla entre ses dents. Une fois encore, il avait laisser passer la chance de sa vie.

Julien appela Louise Morin de la brasserie du Théâtre. Li Phang répondit. Mme était sortie mais il avait des instructions précises. La chambre de monsieur Julien était faite et l'attendait.

— A tout à l'heure, Li Phang.

— Très bien, monsieur Julien.

« J'ai monté en grade au 16, quai d'Orléans », se dit le jeune homme.

En regagnant la salle, il aperçut Marcel Marceau assis, seul, à une petite table. Il agitait les bras d'une étrange façon.

— Tu as des crampes ? demanda Julien.

— Je tire la corde du puits, dit Marceau.

Ses yeux brillaient d'un éclat exceptionnel. Il était encore sous le coup de l'émotion quasi magique qu'il éprouvait toujours en quittant la classe de mime de Louis Decroux.

— Tu devrais essayer, dit-il à Julien. C'est une révélation... J'imagine qu'un muet découvrant l'usage de la voix éprouve ce genre de plaisir. Le langage du corps est aussi important en scène que les mots.

Il s'empara d'une tasse imaginaire posée sur la table et but.

— Les acteurs ne savent pas se servir des objets. Ils les utilisent bêtement. Ils ne les sentent pas... « Le corps a ses raisons que la raison ignore », ajouta-t-il paraphrasant un mot célèbre.

Il tendit la tasse imaginaire à son camarade qui fit semblant de boire.

— Tu vois ! Tu ne sais même pas boire... Je n'ai pas senti le poids de la tasse ni le liquide dans ta bouche. C'était chaud ? C'était froid ?...

— Tiède, dit Julien.

Il pensa que Marceau n'avait pas tort mais désirait pour l'instant satisfaire son palais de matière moins éthérée. Mimer un sandwich au jambon l'intéressait médiocrement.

— Tu as déjà mangé ? demanda-t-il.

— Non. Je suis fauché.

— Je t'invite.

Il lui restait 300 francs sur l'argent changé le matin par l'amant de Jeanine.

Li Phang ouvrit la porte, en uniforme de la coloniale. Il avait noué à la taille un coquet tablier de soubrette. L'effet était si burlesque que Julien se mordit la lèvre pour ne pas rire.

— Que Monsieur m'excuse, dit Li Phang en retirant le tablier. J'étais à la cuisine. Je préparais mon canard pour demain. Je me suis oublié.

Julien eut l'impression que l'Indochinois jouait son

rôle de valet de maître au second degré et, sous un visage impassible, s'amusait de la situation.

— Monsieur désire-t-il prendre un verre au salon avant de se coucher ?

Julien décida de jouer au millionnaire.

— Excellente idée.

Il se dirigea vers le salon.

— Scotch ? Vodka ?

— Scotch, s'il vous plaît.

Li Phang lui servit un whisky bien tassé avec très peu de soda et trois cubes de glace. Julien but son verre debout, face à la baie vitrée. La lune éclairait Notre-Dame et les maisons du quai de Montebello. Au loin, dominant la mer cubiste des toits, le dôme du Panthéon brillait d'une anémique lueur verdâtre. « Que c'est beau ! » pensa-t-il. En même temps, il regrettait la ferme savoyarde, la grande forêt de sapins, l'odeur du foin, les fleurs de l'été, les courses dans la neige poudreuse après la tempête... Un kaléidoscope de sensations violentes, sensuelles, se heurtaient sans logique en un ballet un peu fou. Il appelait les montagnes, ses amies, par leur nom : la Turche, Marcelly, le Roc-d'Enfer, le Mont-Chéri, Nion, le Plénay... Il tenait à la main son verre vide et réalisa qu'il était un peu ivre. Il n'avait pas l'habitude des alcools forts.

Il décida d'aller se coucher.

Le sommeil le fuyait. Il pensait à Sophie, si proche, et résista à l'envie de marcher par les toits jusqu'à sa fenêtre. « Elle doit dormir. » Demain, il proposerait de la retrouver après le théâtre.

Il se leva, entra dans la salle de bains et tourna le robinet d'eau chaude.

La baignoire était profonde. Julien se laissa flotter, bras le long du corps, et ferma les yeux. Il avait lu quelque part que les bains chauds exerçaient un effet aphrodisiaque sur les femmes.

— Sur les femmes et sur Julien, dit-il à haute voix.

Il voulait penser à Sophie mais ce fut l'image de Lola flirtant avec le collier de perles dans la salle de bains de Mme Leroy qui s'imposa. Et, sans transition, le sexe de Sophie, troussée jusqu'à la taille, sur son fauteuil roulant. Il rêva qu'elle écartait les jambes et lui demandait de l'embrasser...

Il entendit des voix dans le couloir sans discerner les mots. La porte de la chambre s'ouvrit et Carmen s'écria :

— Mais non, il ne dort pas...

Quelques secondes plus tard, la jeune fille entrait dans la salle de bains suivie de sa mère. Julien, gêné de son état un peu trop éloquent, se tourna sur le ventre.

— Bonsoir, Julien, dit Louise comme s'ils se trouvaient au salon. Li Phang nous a averties de votre visite. Si j'avais su, nous aurions dîné à la maison.

— Bonsoir, dit Julien.

Carmen enleva ses chaussures et s'assit sur le bord de la baignoire, les jambes dans l'eau. Elle releva sa jupe pour ne pas mouiller l'ourlet.

— Tu le gênes, dit Louise. Tu vois bien qu'il est timide.

— Et alors ? répondit Carmen. C'est très bien d'être timide.

Mme Morin tourna l'interrupteur qui se trouvait

163

près de la porte. La salle de bains n'était plus éclairée que par la lumière venant de la chambre.

Ce moment que Julien avait tant de fois imaginé et qu'il attendait sans impatience était arrivé. Il songea à Sophie et n'éprouva aucun remords. Il n'avait pas l'impression de la trahir. Au contraire. Il la sentait près de lui et cette compagnie désincarnée le réconforta. Il ferait l'amour pour Sophie comme il avait joué pour Sophie, trois heures plus tôt, au théâtre Sarah-Bernhardt.

Carmen sortit de la baignoire, attrapa un savon et s'agenouilla sur le tapis mousse imprimé de fleurs mauves. Avec les gestes d'un peintre attaquant une toile vierge, elle savonna le dos du garçon. Puis elle l'obligea à se retourner.

Louise Morin se tenait debout dans l'encadrement de la porte, immobile, silencieuse.

Carmen se releva, enleva sa jupe, son chemisier, sa culotte et entra dans le bain. La tête posée entre les robinets, face à Julien, elle le regardait dans les yeux, tendrement, sans honte mais sans chercher à le provoquer.

Elle était parfaitement étrangère à la notion de péché.

Elle le caressa d'abord avec son pied et glissa une main sous l'eau.

Julien se révéla compagnon de jeu subtil, doué d'une grande imagination.

Carmen jaillit de l'eau à la façon d'un dauphin et retomba sur le corps du jeune homme.

Ils s'embrassèrent.

Ils sortirent de la baignoire et marchèrent jusqu'au lit, laissant au sol la piste de leurs pieds nus.

En passant la porte Julien avait mouillé la robe de Louise Morin. La présence de cette femme statue lui semblait un peu irréelle mais ne le gênait pas.

Carmen s'allongea sur la couverture en piqué qui était douce à la peau. Elle ouvrit les cuisses et prit la main du garçon. Elle ne voulait plus attendre. Elle ne pouvait plus attendre.

Julien la pénétra très lentement avec une sorte de violence immobile. Il n'eut pas l'impression de faire l'amour pour la première fois. Il reconnaissait ce plaisir intense, à la fois bestial et spirituel, la certitude de partager et d'assumer les désirs et les passions d'un autre être humain, de violer un mystère, de fracturer une porte magique. Il se souvenait. Souvenir génétique surgi des nuits du temps.

Louise Morin, appuyée au mur de la salle de bains, ne pouvait détacher les yeux de ces corps si jeunes, insolents et pudiques, parfaitement nus, liés l'un à l'autre, geignant à la façon d'un enfant pris de fièvre, se redressant, s'enlaçant à nouveau, comme si la peau même devenait un obstacle à leur étreinte... « Je n'ai jamais rien vu de si beau », pensa-t-elle.

Louise n'était pas nymphomane. Sa nature ne la portait pas aux épanchements du sexe. Ses crises d'« inconséquence freudienne » se déclenchaient sans logique apparente à la manière d'une fièvre paludéenne. Ses psychiatres avaient en vain cherché une faille dans le récit d'une enfance sans problèmes. L'excuse que se donnait Louise (elle était la seule femme ayant joui en mettant au monde un bébé) ne les avait jamais convaincus. Ils pensaient que Louise avait inventé cet événement après coup et, sur ce point, ne se trompaient pas.

Elle était rentrée cette nuit le corps et l'esprit en paix, après une soirée agréable chez des amis de longue date. La réaction de sa fille apprenant que Julien était dans l'appartement l'avait surprise. Pour la première fois, Carmen s'était investie du rôle de meneur de jeu jusque-là dévolu à sa mère. De son propre chef, elle avait ouvert la porte de la chambre à coucher et s'était dirigée vers la salle de bains.

Louise paniqua. « Elle est amoureuse », pensa-t-elle. Persuadée de n'être aucunement jalouse de Carmen, elle ne comprenait pas les causes de cette peur soudaine, incontrôlable, si violente qu'elle en était agitée de tremblements.

Les jeunes gens reposaient sur le lit, la tête de Julien appuyée sur les seins de Carmen.

— Carmen !

La voix de Louise les fit sursauter.

— Il est temps de dormir, chérie... Viens !

— J'ai trop sommeil, murmura Carmen. Je dors ici.

— Carmen..., répéta Louise.

La jeune fille se redressa en maugréant. Elle secoua la tête. Un geste puéril qui voulait dire : « Oh, là là ! Les parents, quelle barbe ! » Elle embrassa Julien, se leva et suivit sa mère, nue comme un ver, sans prendre la peine de chercher ses vêtements dans la salle de bains.

Julien n'eut pas le temps de s'interroger sur les conséquences du passage de l'état de puceau à l'état d'homme. Il dormait déjà quand Louise Morin referma la porte.

— Maman ?

— Oui ?...

— L'autre nuit j'ai dormi avec Daniel...

— Oui.

— Alors pourquoi pas avec Julien ?

— Parce que je ne veux pas, ma chérie.

— Maman...

— Oui.

— Tu ne m'aimes pas.

Louise embrassa sa fille sur les cheveux encore mouillés de sueur.

— Tu le penses vraiment ? demanda-t-elle.

— Non.

Elle resta longtemps debout, regardant l'enfant endormie. Elle se demanda ce que les gens cherchaient dans la vie. « Et moi ? » Elle réalisa qu'elle pensait beaucoup à la mort ces derniers temps.

Elle frissonna.

XVI

Ils étaient seuls dans l'appartement.

Elisabeth Ségur, mobilisée par une vente de charité, ne rentrerait qu'à la nuit.

Comme il l'avait promis, Julien ne cacha rien à Sophie de son aventure de la veille. Il fut cependant soulagé qu'elle ne paraisse s'intéresser qu'aux faits et ne le questionne pas sur ses émotions et ses états d'âme. Il éprouvait un plaisir inattendu à revivre pour la femme qu'il aimait sa première véritable expérience érotique. Plaisir décuplé par le trouble que Sophie ne cherchait pas à dissimuler en écoutant son récit.

Elle était dans son lit, Julien assis sur une chaise ; ses genoux touchaient le matelas. Une pluie fine tombait sur les toits. En attendant le vitrier, Mme Ségur avait remplacé le carreau brisé par un morceau de carton.

Quand Julien parla de son embarras dans la baignoire et de la façon naïve dont il avait camouflé son érection, Sophie posa une main sur son pantalon.

— Comme maintenant ? dit-elle.

— Oui.

Elle voulut qu'il décrive avec minutie le corps de Carmen. Ses seins, son ventre, ses jambes, ses pieds, ses mains, son sexe quand elle était debout et quand elle s'ouvrait. Et les caresses qu'ils avaient échangées sous l'eau.

Elle défit la ceinture de Julien et laissa glisser le pantalon.

— La mère ne t'a pas touché ?

— Non. Elle regardait seulement.

Sophie gardait un bras sous la couverture. Quand Julien lui raconta comment il avait, pour la première fois, pénétré un corps de femme, elle l'attira et le prit dans sa bouche. Il s'était arrêté de parler. Elle releva la tête.

— Parle-moi... Il faut que tu me parles...

Elle le laissa jouir dans sa bouche.

Elle eut un long orgasme et cria.

La pluie tombait maintenant à verse. Il faisait presque nuit dans la chambre.

— Je n'avais encore jamais crié en faisant l'amour, dit Sophie.

Julien l'embrassa. Elle murmura, sa bouche contre la bouche du garçon :

— J'ai envie de dire les bêtises que disent les femmes à leur amant après l'amour...

— Par exemple ?

— Tu ne me quitteras jamais ?

— Jamais.

— Tu m'aimes ?

— Je t'aime.

Quelque chose qui ressemblait à de la suspicion troubla tout à coup le regard clair de Sophie.

169

— Elle a dormi avec toi ?

Julien ne put s'empêcher de rire.

— Je croyais que tu n'étais pas jalouse.

— Elle a dormi avec toi ? répéta Sophie.

— Non.

Il avait ri mais comprenait cependant la réaction de Sophie. Elle acceptait l'idée de Julien faisant l'amour à d'autres femmes, peut-être même le désirait-elle, en un sens le plaisir de son presque amant lui était dédié, elle y participait. S'endormir et s'éveiller dans d'autres bras, c'était différent. Il se souvint de Louise Morin appelant Carmen. Elle non plus ne voulait pas qu'ils dorment ensemble.

— Je rêve toujours, je rêve sans arrêt, dit Julien. Je m'endors pour quelques secondes dans le métro, je rêve. La plupart des rêves s'effacent... Dieu merci ! Je serais, sinon, déjà mort d'indigestion onirique. Mais certains rêves, un sur dix millions, n'appartiennent pas au ballet impressionniste de mon imagination... Ils existent. Ils survivent. Plus précis que n'importe quel souvenir de ma vie. Souvent, ce sont des rêves prémonitoires. Quelquefois un avertissement, un signe que je ne sais pas interpréter sur le moment et qui devient limpide, un jour, une semaine, un mois, une année plus tard. Cette nuit j'ai rêvé de Pénélope... Je marchais dans le parc. Je m'approche de la voiture. J'ouvre une portière et je libère des trombes d'eau. Pénélope était remplie jusqu'au toit d'un liquide boueux qui n'en finissait pas de couler. Tu était assise au volant, les cheveux mouillés, la robe collée au corps, tu avais l'air heureux et tu souriais. Tu me dis : « Viens. Je vais te conduire. » Je m'assieds à côté de toi, tu mets le moteur en marche. Tu conduis très bien, mais nous roulons de plus en plus vite. Tu veux freiner. Tu appuies sur la pédale, pas de freins. Je sais que nous allons mourir. Toi, tu ris. Tu dis : « Tu t'inquiètes toujours de tout. Nous ne risquons rien. C'est un rêve. » Je savais que ce n'était pas un rêve... Et je me suis réveillé.

— Si ce n'était pas un rêve, dit Sophie, maintenant nous rêvons.

Julien chanta les premiers mots d'une romance d'avant-guerre :

> *J'ai rêvé que j'habitais*
> *Dans ton cœur...*

Il éclata joyeusement de rire.

— Je ne saurai jamais prévoir tes réactions, dit Sophie. C'est ce que j'aime en toi. Rien de plus fatigant que de chercher toujours le pourquoi des choses.

— Je suis normal, c'est tout. Je pense que je suis le seul être humain vraiment normal vivant sur cette planète.

Ce fut au tour de Sophie de rire.

— Etre normal, je ne sais pas ce que ça veut dire. Je sais que tu es libre... Sans doute le seul être humain vraiment libre vivant sur cette planète. En tout cas le seul que j'aie rencontré.

Julien la regardait, perplexe. Elle réfléchit quelques secondes avant de poursuivre.

— Tu n'es pas conditionné par les tabous d'une classe sociale ou d'une autre... Ni par la politique, ni par la religion, ni par les problèmes freudiens attachés à la mère, ni par la mort de ton père — je veux dire que l'image du héros, de l'autorité masculine ne semble pas te manquer... Tu possèdes ta propre éthique morale et tu es fidèle aux règles de conduite que tu t'es librement imposées... Tu n'es l'esclave d'aucune habitude...

— Erreur, dit Julien. Je nourris chaque jour mon estomac. J'ai pris l'habitude, dès mon arrivée au monde, de remplir mes poumons d'air. Depuis je n'arrête pas. C'est devenu un tic... A propos d'estomac, je mangerais bien quelque chose.

— Tu n'as pas déjeuné ?

— Non. J'ai quitté l'appartement des Morin sur la pointe des pieds. Un peu comme un voleur.

— Ce n'est pas très poli.

— J'ai laissé un mot.

— « Merci pour le bain et la partie de jambes en l'air. A ce soir. Votre très dévoué... Etc. »

— Non, plus subtil. Le genre : « Bien chères Louise et Carmen, l'hospitalité est la politesse des rois, la discrétion celle des invités. Ma grand-mère m'a toujours dit qu'il ne fallait pas abuser des bonnes choses. J'espère qu'elle a tort. Dans le doute, je laisse à votre bienveillance le soin d'en décider. Votre très dévoué... Etc. »

— Je vois... Tu gardes les portes ouvertes.

— Dans les deux sens.

Sophie regardait souvent Julien comme un pêcheur qui a ferré un poisson trop lourd pour son fil.

— Va dans la cuisine, dit-elle brusquement. Fouille... J'ai peur que la chasse soit maigre.

Julien obéit et revint quelques minutes plus tard.

— Je peux faire un couli-couli raté, dit-il.

Sophie faisait confiance aux talents culinaires de Julien mais se méfiait des recettes exotiques... Elle exigea une explication.

172

— « Le couli-couli raté » est un plat paysan. J'ai mis au point cette recette au printemps 1943. Le secret est de donner du parfum au ragoût quand on est à court de viande, de beurre, de lard, d'huile et même de végétaline. J'extrais le jus de trois oignons que je coule au fond de ma cocotte. Je hache deux autres oignons, ni trop fin, ni trop gros, je les caresse à petit feu dans le jus de leurs confrères. J'ai pelé mes patates, je les coupe en cubes — au nombre d'or si Gérald doit manger, sinon au fil de mon inspiration. Je les rince à grande eau. Je les fais bouillir cinq minutes. Je les jette dans ma cocotte quand l'oignon est tendre et translucide. J'ajoute thym et laurier, sel, poivre, etc. C'est l'instant délicat, il s'agit de laisser attraper l'oignon et les pommes de terre sans qu'ils brûlent réellement. Un peu roussis, pas cramés. La réussite est à ce prix. Je n'ai que quelques secondes de marge avant de me décider à verser l'eau bouillante. Ensuite plus de problème. Tout ce monde mijote à feu doux pendant une heure environ. Ce soir, en prime, j'ai ajouté deux cous de volaille. Un délice.

— Tu me donnes faim, dit Sophie. File à tes fourneaux.

Julien passait la porte quand elle le rappela :

— Moi aussi je t'ai trompé. J'ai écrit trois pages de mon roman.

— Je peux lire ?

— Après le dîner.

Tandis que le ragoût mijotait, Julien revint dans la chambre à coucher.

Déchiffrer les hiéroglyphes de l'obélisque de la

Concorde demande certaines connaissances, beaucoup d'application et un minimum d'imagination. Traduire en langage clair l'écriture de Sophie eût découragé le plus doué des égyptologues. Elle écrivait si petit, avec tant d'enthousiasme et tant de ratures, de surcharges, de traits soulignant certains mots, qu'il était pratiquement impossible de savoir s'il s'agissait de caractères romains, celtes, russes, chinois ou arabes. « Une écriture de serpent à sonnette martien », disait Julien. Elle avait elle-même du mal à se relire, ce qui ne rendait pas justice à sa prose. Elle lut les trois pages.

— Ce n'est pas en bronze, dit Sophie. J'ai quelques corrections à faire. Qu'est-ce que tu en penses ?

Julien pensait : « Ce n'est ni fait ni à faire. » Il ne voulait pas la décourager mais n'aimait pas mentir. Très doué pour le canular ou le mensonge poétique, il savait mal tricher sur les sentiments. Il dit :

— Difficile de juger un roman sur trois pages.

— Tu aimes le ton ?

— Le ton ?… Oui. Le style, je ne sais pas. Le style se développe sur plusieurs chapitres.

« Quelle superbe connerie, pensait-il. On n'a jamais vu Rimbaud, Villon, Jules Verne ou Mark Twain développer leur style sur plusieurs chapitres. »

Mme Ségur qui rentrait de sa vente de charité sauva le jeune homme d'une situation délicate. Elle tenait à la main une lettre de son mari qu'un motard du ministère des Armées glissait dans la boîte aux lettres à l'instant précis où elle ouvrait la porte de l'immeuble. « Un signe du destin. »

Elle avait lu la lettre deux fois entre le rez-de-chaussée et le huitième étage. Elle la tendit à sa fille.

Pour marquer le fait que Julien faisait partie de la famille, Sophie lut à voix haute :

Chère Elisabeth, chère Sophie,
 Strasbourg est tombé. Je devrais dire : Strasbourg est libre !
Leclerc a donné aux Américains une nouvelle leçon. Eisenhower
avait prévu huit jours pour emporter la place. Leclerc a refusé le
bombardement massif suggéré par l'état-major allié. Il a fait
répondre que raser une ville n'est pas l'emporter. Un soldat
français donne sa vie pour sauver les femmes et les enfants, il
n'attend pas la victoire au prix du sang des civils. Strasbourg ne
serait pas réduit à un amas de pierres comme Rouen, comme
Caen, comme Le Havre. Quel homme ! Quel soldat ! Je suis
entré avec les premiers chars par le boulevard de la République.
Douze heures plus tard, la ville était à nous. Et la merveilleuse
cathédrale, Elisabeth, était intacte. J'y ai prié, pensant à toi,
pensant à Sophie, ma fille chérie. Elle ne sait pas à quel point je
l'aime, à quel point je souffre de son martyre. Je donnerais cent
fois ma vie pour qu'un jour elle marche à nouveau, pour qu'elle
coure vers moi quand je rentrerai à Paris, la guerre terminée...

A ce point de la lettre, Sophie interrompit sa lecture, les yeux baignés de larmes. Elisabeth prit le relais.

Mais l'avenir est entre les mains de Dieu. Un malheur ternit
ma joie. Alain, mon chauffeur, est mort à mes côtés, foudroyé
au volant par un éclat d'obus de 105. Pourquoi faut-il que je
voie tous mes compagnons, les meilleurs, les plus jeunes, dispa-
raître avant moi ? J'ai parfois honte d'être encore en vie. Sans
doute la mission que Dieu m'a confiée n'est-elle pas terminée...

Julien était effaré. « Qu'est-ce que Dieu peut bien avoir à faire avec cette boucherie ? » pensait-il.

175

L'ange affamé

Leclerc m'a annoncé ma promotion au rang de lieutenant-colonel. Je suis heureux et fier, naturellement, mais je donnerais tous mes galons pour rendre la vie au petit Alain...

« Il est pédé, ma parole », pensa Julien. Il s'en voulut de ne jamais résister à cette forme d'humour un peu facile. Le commandant Ségur, empêtré dans son amour de Dieu et sa rigueur militaire, était un homme de bonne volonté. « Peut-être meilleur que moi, après tout. »

La lettre se terminait par quelques banalités.

— Ils ont pris Strasbourg et la cathédrale est debout ! s'extasiait Mme Ségur.

— Ton mari aussi, remarqua Sophie qui avait surmonté son instant de faiblesse.

On parla de la promotion du commandant Ségur et des chances que les Allemands capitulent avant la fin de l'année.

Julien courut à la cuisine pour surveiller son couli-couli raté.

On dîna sur une petite table dressée près du lit de Sophie. Elisabeth ne pouvait croire qu'un garçon de seize ans fût capable de cuisiner. Avant de servir le ragoût, elle se recueillit et prononça le bénédicité.

Après la première bouchée, elle leva les yeux sur Julien et demanda :

— Vous n'avez pas utilisé de matière grasse ?

— Non.

Elle se plongea dans son assiette et répéta :

— Je ne peux pas le croire... Je ne peux pas le croire.

Julien ne savait pas si c'était le bénédicité, la promotion de son mari, la cathédrale sauvée du feu ou ses talents de chef qui donnaient un tel appétit à Mme Ségur. « Sans doute l'addition de ces événements exceptionnels », se dit-il modestement.

Il aperçut l'heure sur le réveil de Sophie et se leva précipitamment.

— Merde, le théâtre ! dit-il.

Julien était toujours en retard mais ne manquait jamais un train ou un rendez-vous important. « Sauf une fameuse visite à l'Hôtel-Dieu, pensa-t-il. Mais c'était le doigt de Dieu. On ne peut rien contre le doigt de Dieu... »

— Où couches-tu ce soir ? demanda Sophie.

— A Saint-Nom-la-Bretèche.

Il n'avait aucune envie de retrouver Carmen et sa mère. Le plaisir surprenant de la nuit passée cédait la place à la mélancolie. Il se sentait vaguement souillé. « Je suis plus fille que garçon », pensa-t-il. Il voulait voir sa mère et Gérald et dormir dans le lit-bateau anglais au sommier défoncé.

Sophie était heureuse.

— Bonsoir, mon amant, dit-elle quand il se pencha pour l'embrasser.

— Bonsoir, ma femme, dit-il.

Elle agrippa sa main et le regarda avec une telle intensité qu'il eut peur. Ce qui n'était pas dans sa nature.

Le wagon était vide. Ou presque.

Le vieil homme qui semblait dormir depuis le départ de la gare Saint-Lazare ouvrit les yeux quand Julien sortit les Camel de sa poche.

— Vous en avez une pour moi ? demanda-t-il.

— Servez-vous, dit Julien.

Le vieil homme tira une cigarette du paquet que lui tendait le garçon.

Il sortit d'une poche un petit instrument de toile cirée montée sur métal, ses feuilles de papier Zig-Zag, extirpa le tabac de la Camel et se roula une cigarette.

— Je n'aime pas leur papier, dit-il.

— Ce n'est pas le même ? demanda Julien.

— Le papier, c'est toute la différence.

Il lécha la cigarette pour coller le papier Zig-Zag, pinça l'extrémité d'un geste savant, et alluma.

— Ces Américains ne savent pas vivre. Chez eux tout est mécanique.

Il aspira le tabac avec délice et poursuivit :

— Je ne suis pas anti-américain, monsieur, loin de là ! Je suis contre la mécanisation à outrance. Les Allemands ont failli gagner la guerre parce qu'ils étaient mécanisés. Ils n'avaient pas prévu que les Américains étaient supermécanisés. C'est la fin de l'homme.

On s'adressait rarement à Julien en l'appelant « monsieur ». Le vieil homme lui plut.

— Je vous en roule une ?

Julien lui passa le paquet de Camel.

Quelques secondes plus tard, il allumait sa première cigarette « non mécanisée ». Il ne trouva aucune différence.

— Ah oui, dit-il poliment. Ce n'est pas la même chose.

Le train entrait en gare de Louveciennes. Le vieil homme se leva et voulut rendre le paquet à Julien.

— Gardez-le, je vous en prie.

Le vieil homme sourit. Quelque chose de joyeux, de tendre, passa dans son regard.

— On dit toujours, monsieur, que les vieux n'aiment pas les jeunes. Ce n'est pas vrai. Ce sont les jeunes qui n'aiment pas les vieux. Parce qu'ils savent qu'un jour ils seront comme eux. Et ça leur fait peur. Ils ne s'en doutent pas, mais ils ont peur. Je ne parle pas de vous, bien sûr. Vous êtes différent. Merci pour les cigarettes, monsieur.

Quand le train repartit, Julien vit par la fenêtre une femme aux cheveux blancs qui attendait le vieil homme sur le quai. Elle lui prit le bras et ils marchèrent ensemble, sans hâte. Ils ne s'étaient rien dit. Ils semblaient heureux, très paisibles, très unis.

La paix, en revanche, n'était pas à l'ordre au jour dans la villa des Lorrimer à Saint-Nom-la-Bretèche.

Julien, qui croyait la maison endormie, trouva tout le monde au salon.

Le *briefing* dura un certain temps, chacun parlant à la fois.

Lola était enceinte. Elle avait décidé de passer quelques jours dans sa famille « pour faire le point ». La princesse Semiankov s'était relevée après avoir rêvé de son oncle Michel Alexandrovitch Romanov. Rêver de son oncle annonçait un événement d'une grande importance, en général bénéfique. Elle discourait avec tant d'ardeur qu'elle perdait ses papillotes. Charlie souffrait d'une réaction glandulaire sous le bras gauche et se croyait atteinte d'un cancer du sein. Gérald prétendait avoir vu le fantôme de la maîtresse de Briand et s'irritait que personne ne parût s'intéresser à son récit.

— Je ne suis pas ivre, répétait-il. Je n'ai pas bu une

179

bière depuis huit jours. Je l'ai vue dans l'escalier du second. En tenue de cheval.

— En tenue de cheval ! s'indigna Charlie. Le docteur m'annonce que j'ai un cancer et il la voit en tenue de cheval ! C'est tout ce qui l'intéresse !

— Amie, amie, dit la princesse. Le docteur a ordonné une analyse. Simple précaution, ne dramatisez pas. D'ailleurs j'ai rêvé de Michel Alexandrovitch. C'est grand signe. C'est bon signe.

— J'ai vu un fantôme, ça n'a rien à voir avec ton cancer, dit Gérald, espérant calmer sa femme.

La formule n'était pas heureuse.

— Mon cancer ! Il l'a dit ! reprit Charlie au bord des larmes. Il me veut morte, il n'a qu'une idée, se débarrasser de moi...

Du coup, Gérald se fâcha.

— Je travaille comme une brute, je suis crevé, je suis charrette ! J'ai le droit de voir un fantôme sans être accusé... accusé.

Il ne trouvait pas le mot.

— Accusé de berlick, suggéra Julien.

— Accusé de berlick ! répéta Gérald.

— Un peu de silence là-dedans ! cria Lola. Il y a une femme enceinte dans la pièce.

— Etre enceinte, ce n'est pas une maladie, dit Charlie.

— Facile de parler de ce qu'on ne connaît pas, répondit Lola. Je voudrais t'y voir.

— Si mes souvenirs sont bons, j'ai eu deux enfants, dit Charlie.

— C'est vrai. Pardon, s'excusa Lola. J'avais oublié.

« Ils sont plus russes que la princesse », pensa Julien.

— Je vais faire du thé, décida Sonia.

Elle s'éloigna vers la cuisine.

Julien expliqua à sa mère que l'hypertrophie des glandes n'était pas une exclusivité du cancer. Les causes étaient nombreuses. Allergie. Infection. Désordre biologique momentané dû à un agent inconnu.

— Je te parie 1 000 francs contre 10 francs que ce n'est pas un cancer.

— Je n'ai pas 1 000 francs à perdre.

Charlie ne put s'empêcher de sourire de ce qu'impliquait sa réponse.

Gérald la prit dans ses bras, lui parla gentiment. Elle se laissa consoler.

Julien rejoignit sa sœur, allongée sur le canapé. Il s'assit sur le bord des coussins et se pencha pour l'embrasser.

— Ne me touche pas ! s'écria-t-elle.

« Allons bon, se dit Julien, elle a attrapé le virus de Sophie. Qu'est-ce qu'elles ont toutes, en ce moment ?»

Tandis que les femmes buvaient le thé, Gérald et son beau-fils partirent à la recherche du fantôme. Dix minutes plus tard, ils étaient de retour. Bredouilles.

Sonia se pencha sur le jeune homme. Les perles lui chatouillèrent les oreilles.

— Vous savez tirer les cartes, m'a dit votre mère.

— Oui, répondit Julien. Pour de l'argent. Les billets m'inspirent.

— Julien ! fit Charlie sur un ton de reproche.

— Il a raison, dit Sonia en riant. Nous ferons affaire.

Les adultes montèrent se coucher.

Julien resta au salon avec sa sœur. Il savait qu'elle

181

désirait se confier mais ne posa pas de questions. Ils parlèrent de choses et d'autres.

— Qu'est-ce qu'on fait quand on ne sait pas quoi faire ? demanda tout à coup Lola.

— On attend.

— Je n'aime pas attendre.

Lola traversait une période de confusion totale. Elle n'était plus certaine d'aimer son mari, mais n'avait pas envie de le quitter. Elle voulait garder son bébé, mais l'idée d'être mère la terrifiait. Elle envisageait depuis quelque temps de trouver un travail, mais ne savait rien faire.

— Tu as la liberté et les moyens d'apprendre un métier, dit Julien. Profites-en.

— Quoi ?

Il attrapa sur la table une feuille de papier, un crayon, et se mit à écrire.

— Qu'est-ce que tu fais ?

— Une liste.

Il revint vers le canapé et lut :

— Actrice.

— Non. Je ne te l'ai jamais dit, mais je me suis exercée en douce. Je suis une horrible actrice.

Il barra « actrice ».

— Beaux-Arts.

— Pourquoi faire ?

— Tu pourrais apprendre à connaître les différents styles et t'occuper d'une boutique d'antiquités.

— Commerçante ? Jamais.

Il barra « Beaux-Arts ».

— Taper à la machine. Sténographie.

— Pour finir secrétaire et se faire engueuler par le patron. Plutôt passer sous un train.

— Journalisme.

— Un journaliste, ça écrit. Je ne sais pas écrire. Sauf une carte de Noël. Et encore !

— Coureur automobile.

— Ça me plairait assez. Mais Léon ne voudra jamais. Et puis je ne sais pas si c'est un sport recommandé pour les femmes enceintes.

— Non, reconnut Julien. Langues.

— Langues ? Quoi, langues ?

— Tu pourrais être interprète.

Elle réfléchit quelques secondes avant de rejeter cette nouvelle option.

— Puériculture.

— Planter des carottes ? J'en ai eu mon compte pendant la guerre.

— Une puéricultrice est une femme qui s'occupe des enfants en bas âge.

— Tu te fiches de moi, Julien ? Je suis assez paniquée à l'idée de torcher un seul bébé. Tu me vois entourée d'une armée de marmots qui braillent et qui puent?

— Mannequin.

— Passer son temps à s'habiller et se déshabiller et remuer du cul pour une bande de mémés snobinardes, non, merci.

Julien barra « mannequin ». C'était le dernier mot de la liste.

— Tu vois, triompha Lola, ce n'est pas facile de trouver du travail.

— J'ai une idée, s'écria Julien. Photographe ! Tu pourrais travailler pour les journaux ou les magazines. Ou sur un plateau, pour le cinéma. Un boulot marrant, varié. Ça te donnerait une certaine indépendance sans t'obliger à te lever tous les jours à 8 heures.

L'idée séduisait Lola.

— Ce n'est pas con, dit-elle enfin.

Elle prit sa décision.

— Je vais être photographe.

Elle embrassa Julien.

— Tu es un frère... Je t'aime.

Rassérénée, elle décida d'aller se coucher.

— A propos, dit-elle en montant l'escalier, on a oublié de te le dire... Ton copain Emile a téléphoné. Pénélope est fin prête. Il te l'amène demain matin.

Julien cria de joie.

Plus tard, dans son lit, il se remémora le rêve. Un sombre pressentiment qu'il eut du mal à refouler gâcha son plaisir.

XVII

Le lendemain, Pénélope attendait à la grille du parc. Emile Garcien devait revenir après le déjeuner pour sa leçon d'art dramatique. Gérald avait pris le train de 9 h 12. Lola refusa de monter en voiture pour la balade inaugurale, arguant qu'une femme enceinte se devait d'éviter les risques exceptionnels. Charlie, assise près du téléphone, attendait le résultat de ses analyses. Elle promit de faire l'œuf. « Faire l'œuf » consistait à envelopper ses enfants, en cas de danger, d'une coquille d'amour projetée mentalement. Le procédé était inédit mais n'avait jamais failli. Sonia accepta d'accompagner Julien en échange de la promesse qu'il tirerait les cartes au retour, s'ils étaient toujours vivants.

— Vous faites une mauvaise affaire, dit Lola. Il vaudrait mieux savoir maintenant s'il vous reste un avenir.

En dépit de ce pronostic pessimiste, la randonnée se termina sans incident, ou presque.

— Une bonne petite voiture, dit la princesse. Bien sûr, s'il y avait des freins, ce serait plus agréable.

— Elle freine, dit Julien. Evidemment, si on veut s'arrêter il faut s'y prendre un peu à l'avance.

— Un kilomètre ? demanda Lola.

Charlie, qui était au téléphone, poussa un cri.

— Ce n'est pas le cancer ! C'est une septie... septo... sept quelque chose.

— Mes 1 000 francs, dit Julien.

— Je n'ai pas parié, protesta Charlie, indignée.

— Je suis témoin, intervint Lola.

Tout le monde embrassa Charlie. Orphée repassant le Styx n'avait pas mérité tant d'attention.

Emile Garcien travailla quelques jours de plus sur les freins de Pénélope.

Restait à régler un problème d'ordre légal. Pénélope n'avait pas de propriétaire depuis plus de dix ans, donc pas de papiers d'identité, ce qui risquait d'être mal vu par la police en cas de contrôle. Emile récupéra la carte grise d'une antique Renault accidentée qui rouillait dans le cimetière à voitures de son père. Pénélope hérita de nouvelles plaques d'immatriculation. Elle acquit ainsi toutes les apparences de la légalité.

Le jeune garagiste n'avait pas travaillé en vain. Il passa l'audition du cours Dullin, parrainé par Julien, et fut accepté avec mention « très bien ».

Julien circulait dans la région mais n'osait pas se risquer à Paris sans permis de conduire, la limite d'âge étant dix-huit ans. Il demanda un extrait de naissance à la mairie du Ve et « emprunta » le livret de famille de sa mère. A l'aide d'une lame de rasoir, d'une plume Sergent-Major et de l'encre appropriée, il changea un chiffre dans sa date de naissance. 1928 devint 1925. Accoutumé aux fausses cartes d'identité, aux laissez-passer trafiqués, ce travail de faussaire ne fut pour lui que simple routine. Il passa son permis sans problème.

Restait maintenant à convaincre Sophie de quitter son antre pour affronter la rue et les gens du dehors.

Le premier pas, déjà, était acquis. Sophie acceptait qu'il la portât du lit au fauteuil roulant à condition que ses jambes fussent enroulées dans la couverture. Descendre en ascenseur, passer la loge de la concierge, être enlevée dans les bras jusqu'à la voiture était une autre affaire. Julien se montra patient et adroit. Il eut moins de mal à la décider qu'il ne l'avait prévu.

La première promenade fut un enchantement. Julien eut l'impression de mettre un enfant au monde. Sophie tomba amoureuse de Paris, de la Seine, des arbres, des gens, des couleurs, du mouvement.

— Avant, je ne savais pas regarder, dit-elle.

Au rond-point des Champs-Elysées, elle se mit à rire.

— Qu'est-ce qui est drôle ? demanda Julien.

— Le flic. Je n'aurais jamais cru qu'un jour je voudrais embrasser un flic.

Julien arrêta la voiture à côté de l'agent de la circulation.

— Elle veut vous embrasser, dit-il.

Au lieu de se fâcher, le flic pencha la tête à la portière pour recevoir son baiser. Il n'était pas très jeune. Sa moustache grisonnait.

— C'est bon, dit Sophie. Mais vous piquez.

Ils se sourirent.

— Un baiser par-ci, par-là, ça aide à passer le temps, dit le flic. Bon voyage, ma petite dame.

« Celui-là, pensa Julien, il a l'air brave. Il a une femme, des enfants, des copains. Pas de problèmes. Je suis sûr qu'il raflait les juifs et les résistants pendant l'Occupation. »

Il ne voulut pas gâcher le bonheur de Sophie et garda pour lui son commentaire.

Rentrée dans sa chambre, Sophie pleura.

Julien ne l'avait pas vue pleurer depuis le jour du couli-couli raté, lisant la lettre du lieutenant-colonel Ségur.

— Je ne suis ni triste ni heureuse, dit-elle. C'est physique. Au moins je ne suis pas morte.

Elle l'embrassa et le garda longtemps serré sur sa poitrine.

1945 enterra 1944.

Aucun changement majeur ne bouleversa la vie de Julien. Gérald lisait *Le Monde* dont le premier numéro avait paru le 18 décembre. Charlie décida de s'inscrire au parti communiste. Elle changea provisoirement d'avis aux récits des horreurs de la postrévolution soviétique dont Sonia l'abreuvait.

— Attendez, chérie, disait la princesse. Les communistes sont courageux. Mais les nazis aussi. Attendez de voir s'ils n'essayent pas de remplacer une horreur totalitaire par une autre tyrannie. On ne décide pas de la valeur d'un système politique par le nombre de ses victimes. Autant voter pour les survivants d'un tremblement de terre.

Lola, dont le ventre gonflait doucement, avait surpris Julien. Equipée d'un Rolleiflex, objectifs, flash, etc. (Léon prenait pour un caprice charmant la nouvelle vocation de sa femme), elle s'était amenée sur le tournage d'un film de Marcel Carné et réussit à convaincre le photographe de plateau de l'engager comme assistante. Elle le paierait, à condition qu'il la laissât décider, dans une mesure raisonnable, de ses horaires de travail. L'homme s'appelait Corbeau. Homosexuel réputé, et réputé pour son talent, il se prit d'amitié pour Lola. Elle ne pouvait rêver d'un meilleur mentor. L'amitié de Corbeau se mua en admiration quand elle lui présenta son frère cadet. Lola était douée: Corbeau respectait son travail et refusa, après deux semaines, les chèques de l'apprentie.

Le Soldat et la Sorcière n'était plus à l'affiche. Grâce à Corbeau, Julien doubla cependant ses revenus en faisant de la figuration au cinéma. Ce travail l'ennuyait mais lui donnait l'occasion de nouvelles rencontres. Il était fasciné par l'orgueil enfantin et les caprices des metteurs en scène. Habitué à la rigueur du théâtre, l'agitation du plateau l'amusait.

Il passa la soirée de Noël et le réveillon de fin d'année 14, quai d'Orléans. Cette nuit-là, ils burent tant de champagne que Julien faillit faire l'amour avec Sophie. Persuadé qu'elle lui en voudrait à mort le lendemain, il garda assez de sang-froid pour renoncer à cette idée.

Le 2 janvier, une offensive allemande menaça Strasbourg. Mme Ségur, accrochée aux nouvelles du front, était consternée. Elle ne s'inquiétait pas du sort de son mari qui ne se trouvait plus dans la capitale alsacienne, mais tremblait pour la cathédrale. Le 6 janvier, elle respira. Dieu avait sauvé la ville pour la seconde fois.

Sophie poursuivait la rédaction de son roman. Un problème épineux pour Julien. Il ne pouvait la décourager ; c'eût été inutile et cruel. Mentir, trouver des faux-fuyants, lui devenait chaque jour plus insupportable. La jeune fille, qui ne manquait pas de jugement, semblait ignorer ses réticences. Elle avait besoin de croire à son talent pour s'aider à vivre.

— Il me faut une impression d'ensemble, lui dit-il. Ecris au moins un chapitre avant de lire. Je ne veux pas t'influencer. C'est ton enfant.

— Gogol lisait sa prose chaque jour à ses amis.

— Tu es sans doute Gogol. Je ne vaux pas ses amis.

Il avait le sentiment de signer des traites de cavalerie.

Son amour pour Sophie ne s'usait pas au fil des jours. Au contraire. Ils apprenaient à mieux se connaître sans jamais tomber dans les pièges de la routine. Ils ne s'ennuyaient jamais. Leur vie sexuelle par aventures interposées était toujours inattendue. Il avait fait l'amour avec la petite Marie, dans sa loge, avec une actrice plus âgée, Arletty, rencontrée sur le plateau d'un film. Arletty lui avait dit :

— J'ai deux fois ton âge, petit, mais n'espère pas l'expérience. L'amour ne s'apprend pas.

Il manquait à ses étreintes avec Sophie l'essentiel. La réunion des sexes. Mais cet essentiel cédait la place à un jeu érotique si intense, si différent de l'accouplement conjugal, que ni l'un ni l'autre ne se sentait frustré. Il avait droit à sa bouche, à ses mains, à ses seins, elle se caressait sans honte quand il racontait ses aventures. Ils jouissaient souvent ensemble. Ils avaient réglé par nécessité, mais dans le plaisir, le problème de la jalousie, cette guillotine de l'amour.

Souvent Sophie imaginait Julien arrachant le drap, écartant ses jambes inertes et pénétrant son sexe. Elle aimait l'idée mais savait que le lendemain elle n'aurait plus de plaisir à son baiser. Orgueil ? Pudeur ? Honte ? Rage d'être réduite à l'état d'infirme ? Coquetterie ? Maladie intellectuelle ? Elle avait cherché mille fois la raison. Elle ne connaissait pas la réponse.

Le Pr Armand reculait de mois en mois la date de l'opération. Ils espéraient malgré tout le miracle.

XVIII

La première pensée de Sophie en s'éveillant était toujours pour Julien. « Viendra-t-il aujourd'hui ? A quelle heure ? » Suivaient le rituel de la toilette (aidée par sa mère) et l'humiliation du bassin. Elisabeth enduisait ensuite les fesses et les jambes d'une crème adoucissante et, trois fois par semaine, massait longuement les membres inertes de sa fille.

Il arrivait à Sophie, en ouvrant les yeux, d'oublier son infirmité. Le premier mouvement la ramenait à la réalité. Parfois elle faisait un cauchemar : elle était paralysée mais savait qu'elle rêvait. Elle voulait s'éveiller. Quand enfin elle y parvenait, l'horreur de sa situation lui donnait envie de hurler comme un animal. Son corps exsudait une sueur glacée. Dans ces moments de désespoir absolu, elle pensait que la mort était la seule façon de sortir du rêve pour toujours. Elle ne pleurait pas, cette douleur était au-delà des larmes.

Julien dormait parfois sur un matelas posé à même le sol, contre le lit de Sophie. Au matin, dès l'entrée de Mme Ségur dans la chambre, il se retirait au salon

(Sophie disait en tapant des mains comme une patronne de bordel : « Ces messieurs, au salon ! ») ou bien il marchait jusqu'à la cuisine préparer le petit déjeuner.

Sophie acceptait maintenant les visites. Les camarades du cours Dullin passaient la voir. Philippe se montrait le plus assidu. Il répétait une scène de Musset, de Ford ou de Giraudoux et tenait compte, en élève appliqué, des conseils de la jeune fille. Il la faisait rire aux larmes en lui décrivant avec humour son calvaire d'amoureux transi.

— Je dors la nuit avec des boules de cire dans les oreilles pour ne pas l'entendre gémir de plaisir sur la poitrine velue de l'abominable Léon.

— Tu couches à côté de leur chambre ?

— Non. A l'autre bout de l'appartement et les murs sont épais. C'est l'imagination. Un meuble craque, je crois qu'elle soupire, le robinet de la salle de bains est mal fermé, je crois reconnaître sa voix murmurant des mots d'amour, une voiture de pompiers passe dans la rue, je suis persuadé qu'elle jouit... C'est du Racine, c'est du Corneille, c'est du Dostoïevski, du José Maria de Heredia...

— Heredia ? Je ne vois pas le rapport, dit Sophie.

— Tu as raison. Je me suis laissé emporter. Le nom sonnait bien.

— Tu es masochiste.

— C'est tout ce qui me reste. Je préfère souffrir près d'elle qu'être heureux loin de l'ingrate. Et puis, comme dirait Julien, la cuisine est bonne, avenue Deschanel.

A vrai dire, Philippe était enchanté de son rôle d'amant martyr.

Certains jours, Sophie refusait que Julien la portât jusqu'au fauteuil roulant. Elle travaillait à son roman, s'exerçait aux échecs ou lisait. Et puis, un matin, sans qu'elle sût pourquoi, elle était prise d'une soif urgente des rues de Paris ou d'une promenade en forêt de Saint-Germain. Pénélope, malgré quelques défaillances, se révélait fiable.

Julien s'aperçut, à l'occasion de ces balades, que son amie attirait le regard des hommes. Elle embellissait. Le bleu de l'iris qui tournait au mauve semblait voilé de mystère. Son visage exerçait un attrait réellement magnétique dès qu'on portait les yeux sur elle. Distante mais attentive, sensuelle et fragile, elle séduisait d'abord et provoquait la curiosité. Julien était heureux, flatté aussi, de l'admiration non déguisée dont Sophie recevait l'hommage où qu'il la conduisît.

Sensible à ce nouveau pouvoir de séduction, la jeune fille en éprouvait une sorte de réconfort et de plaisir mais sa joie était gâchée par une impression d'irréalité. Le mirage allait se déchirer par lambeaux, telle la brume matinale au faîte des arbres.

Julien se lasserait de promener une paralytique. Bientôt, elle serait seule, laide, vieille et désespérée. On ne la regarderait plus.

— Rentrons, Julien, j'ai froid.

Il n'avait pas réussi à la convaincre d'utiliser le fauteuil roulant pour se rendre au cinéma ou dans un restaurant. A l'abri de la voiture, Sophie pouvait jouer à être une vraie femme. Elle refusait de lever le rideau sur son infirmité.

Julien sortait du cours lorsqu'il tomba sur Louise Morin devant l'entrée des artistes. Elle joua la surprise mais le garçon eut l'impression qu'en fait elle l'attendait. Il n'était pas retourné 16, quai d'Orléans depuis deux mois. Elle le traita de lâcheur et proposa de faire une surprise à Carmen.

— J'allais passer la prendre à son cours de danse. Vous m'accompagnez ?

Julien traversait une de ses crises de mélancolie, fréquentes depuis quelque temps. L'idée d'une nuit d'aventures le séduisit. Il se retrouva assis sur le siège arrière d'une Packard de 1938. Le cocher était au volant.

— Et le fiacre ?

— Vendu, dit Louise. Bouchon est mort le jour de Noël.

Julien s'attendait à ce que le chauffeur crie « Hue ! Dia ! » après avoir passé la première. Il fut déçu.

Les cours de danse classique de Boris Noumansky, boulevard de Clichy, étaient fréquentés par de nombreuses étoiles de l'Opéra. Chorégraphe à la cour de Nicolas II jusqu'en 1916, le Maître formait aussi de jeunes talents mais refoulait avec intransigeance les amateurs sans avenir.

Julien se glissa discrètement dans le studio derrière Louise Morin.

Armé d'un bâton à pommeau d'ivoire dont il frappait le sol avec rage, Boris criait :

Enlevé... Une, deux... Attitude... Le dos, Brigitte ! Le dos !... Une, deux... Saut de chat...

Une vieille dame tapait sur le piano mal accordé, prévoyant les réactions du Maître, reprenait quelques mesures plus tôt, sans qu'il eût jamais besoin de lui adresser la parole.

195

Carmen, en collant, mollets couverts d'épaisses chaussettes blanches, cheveux tirés sur la nuque, bondissait, tournait, transpirante, superbe. Elle aperçut Julien et, comme le premier soir au Lorientais, glissa sur le plancher de bois. Elle se rattrapa de justesse.

— Carmen ! cria Boris, furieux... Ici, c'est danse ! Ça n'est pas patin à glace !...

Julien était impressionné par l'aisance, la technique et la grâce de Carmen. Il éprouva un pincement au cœur, pensant à Sophie.

Le cours se terminait. Carmen courut vers Julien et se jeta dans ses bras. Elle était très belle, essoufflée, mouillée, les yeux levés vers lui, la bouche ouverte aspirant l'oxygène, tel un animal exténué. Elle lui donna un rapide baiser et s'éloigna vers le vestiaire sans avoir dit un mot.

Boris regardait Julien. Il dit à Louise :

— Un corps de danseur.

Il se retourna et attrapa une élève par sa queue de cheval.

— Brigitte, tu n'es pas une femme serpent... Tu penses à ton dos ou tu quittes la classe.

— Pardon, Maître, dit la jeune fille. J'avais mal. J'ai mes règles.

— Il n'y a qu'une règle : danse ! On ne baisse pas rideau quand la Majinskaïa a ses règles.

Il laissa filer Brigitte.

— Carmen est douée, dit-il à Mᵐᵉ Morin. Elle sera étoile. Si elle travaille !... Six heures par semaine, c'est amateur.

Il posa sur Julien le regard d'un champion de concours hippique évaluant les chances d'un yearling et s'éloigna.

196

Maxim's n'avait fermé que quelques jours à la Libération. Les officiers américains, en civil ou en uniforme, remplaçaient à présent les Allemands. Louise avait sa table près de la piste. Elle regardait Julien et Carmen danser. L'orchestre jouait *Sentimental Journey*. La dame du vestiaire avait prêté une veste et une cravate au jeune homme. « Un prince, pensait Louise. Il est plus élégant dans son blazer flottant et sa cravate mal assortie que la plupart de ces paysans en smoking qui se trémoussent sur la piste. » Elle se reprochait d'avoir laissé sa fille et le jeune homme faire l'amour sans qu'elle eût cherché à se joindre au couple. Pour une raison qu'elle ne comprenait toujours pas, elle avait changé, cette nuit-là, les règles du jeu. Et, bien sûr, l'enfant se croyait maintenant amoureuse. Il lui restait un moyen de remettre les choses en ordre. Ce soir, elle serait dans le lit avec eux.

Elle s'était informée des heures de cours chez Dullin, mais avait longtemps hésité avant de surprendre Julien. Pourquoi aujourd'hui ? « Je le désire, je le veux, je l'aurai », pensa-t-elle. Les sombres nuages de la déraison alourdissaient son esprit. Elle souffla les bougies. Les bougies lui rappelaient les églises et les veillées mortuaires.

Quand les enfants retournèrent à table, on servait le steak au poivre. Le sommelier déboucha la troisième bouteille de Cheval-blanc 42, le vin préféré de Julien.

Au dessert, Carmen accepta une danse avec un général trois étoiles.

— Comme la fine, remarqua Julien en levant son verre.

L'Américain avait d'abord invité la mère. Louise, qui désirait un instant de tête à tête avec le jeune

197

homme, lui avait suggéré d'inviter Carmen. « Ah, ces Parisiennes !... » s'était dit l'officier.

— Me trouvez-vous belle ? demanda Louise.

Julien fit un signe au maître d'hôtel.

— Une feuille de papier et un crayon, s'il vous plaît.

On les lui servit.

Il écrivit en cachant son papier d'une main, comme en classe.

Il le passa à Louise.

Elle lut :

Belle : Oui.
Séduisante : Oui.
Faite : Au tour.
Âge : Idéal. (Trop jeune pour être maman, assez vieille pour savoir jouer.)
Qualités : Un peu folle, riche, apprécie les Julien, possède un joyau unique : Carmen.
Défauts : On verra bien.

Carmen avait affolé le trois-étoiles qui lui baisa la main avant de la rendre à sa maman.

— On ne baise pas la main des jeunes filles, maugréa Julien.

— Pourquoi ?

Carmen, ravie, pensait qu'il était jaloux.

— C'est contraire à l'étiquette.

— Je ne vous savais pas à cheval sur les principes, dit Louise.

— Extrêmement à cheval, madame. Je vis de principes et d'eau fraîche, répondit le garçon en vidant son verre de fine.

— Il est rond, s'écria Carmen en riant.

Sa mère lui passa le billet écrit par Julien. La jeune fille ne retint que cinq mots : « Possède un joyau unique : Carmen. »

Elle embrassa son amant d'une nuit.

— Je t'aime, dit-elle.

Passé la porte d'entrée, Louise ne donna pas aux jeunes gens le temps de se concerter. Elle attrapa Julien d'un bras, Carmen de l'autre, suivit le couloir, monta l'escalier, entra dans la chambre de sa fille et tomba sur le lit en les entraînant dans sa chute.

— Aide-moi, dit-elle à Carmen. Il est un peu ivre. On ne va pas le laisser dormir tout habillé...

Carmen était dressée à obéir dans certaines situations. Elle prenait pour un superjeu les dérèglements érotiques de sa mère. L'exception devint une habitude. Elle réagissait maintenant à la façon d'un robot. Ce soir, pourtant, le moindre mot de Julien l'eût sortie de son état de torpeur. Mais il ne pensait plus, il se laissait faire. Un peu lâche, il espérait la fête sans en assumer la responsabilité.

Les yeux fermés, il ne savait quelle main, quelle bouche le caressait. Il crut embrasser Carmen, c'était Louise. Il ignorait qu'elle s'épilait pour ressembler à sa fille. Il fit l'amour avec une femme qui avait mille jambes, mille bras et plusieurs sexes. Il crut se souvenir de la voix de Carmen qui le suppliait d'arrêter, de fuir avec elle. « Arrêter quoi ? Fuir où ? » Cette nuit était pour lui une fuite. Une glissade dans l'inconnu. Il rêva de pluie. Il était dans sa forêt, au col des Gets, l'eau tombait à verse et s'égouttait des branches d'un

sapin sur ses yeux. Carmen le regardait. Elle disait :
« Tu ne m'aimes pas. Personne, jamais, ne
m'aimera. » Julien avait quelque chose d'important à
lui expliquer mais les mots ne venaient pas.

Le bruit de l'averse contre les vitres l'éveilla. Le ciel
était gris, la chambre était grise — les nuages avaient
passé les murs. Les deux femmes dormaient, l'une à
gauche, l'autre à droite. Nues et chaudes sous le drap.
Louise ne s'était pas démaquillée. Le visage peint
semblait souffrir. Elle n'était pas laide. Un peu grotesque. Julien pensa à ces assiettes lapones en os, déco-
rées à la main, que Le Corbusier avait offertes à Charlie pour son anniversaire. Carmen lui tournait le dos.
Il ne voyait que les cheveux. Très jeunes, attendris-
sants. « Comment se fait-il que les cheveux parlent,
expriment la joie, le désordre ou l'innocence ? ». Les
cheveux de Carmen lui donnèrent envie de pleurer et
d'embrasser la tête blonde. Il se leva doucement,
enjamba le corps de la jeune fille et chercha au pied du
lit ses vêtements épars. Il s'habilla. Il allait partir
quand Carmen agrippa sa main. Il voulut lui parler
mais elle n'ouvrit pas les yeux. Elle ne relâchait pas
son étreinte.

— Carmen..., murmura Julien.

Elle ne répondit pas.

Après deux minutes, il dégagea sa main et sortit. Il
se sentait coupable. « De quel crime ?... » Il hésita.
« Il faut que je revienne et que je l'embrasse. »

Il pensa à Sophie et ne le fit pas.

Sophie avait donné à Julien la clé de l'appartement.
Il ne l'utilisait qu'après avoir sonné, quand personne

n'ouvrait. Il entendit la voix de Mme Ségur :

— Entrez, entrez !

« Comment sait-elle que c'est moi ? » pensa-t-il.

Il ouvrit la porte.

Elisabeth, l'oreille collée au poste de radio, lui fit grâce d'un geste de la main des formules de politesse habituelles.

Il trouva Sophie reconstituant sur l'échiquier une partie d'échecs célèbre. Elle était au lit.

— Smirnof contre De Palma. Mexico. 1937, dit-elle. L'ennui avec ce jeu de maniaques, c'est qu'on comprend très bien leurs conneries, mais qu'on n'arrive jamais à faire mieux. Tu vas bien ? Tu ne m'embrasses pas ?

Il l'embrassa.

— Tu sens la créature.

Sophie avait développé un sens olfactif qui impressionnait Julien et le désolait parfois. Il n'avait pas envie de parler de sa nuit pour l'instant.

— Je viens de lire un essai de Baudelaire sur les échecs, poursuivit la jeune fille. D'après lui, un champion d'échecs intelligent est une anomalie de la nature. Aimer les échecs est le propre d'un esprit curieux, analytique et organisé, mais dominer cet art au point d'y consacrer sa vie est le signe d'une forme évoluée de crétinisme.

— Tant mieux. Je vais pouvoir gagner sans que tu te fâches.

— Non, mon garçon. Ce qui m'intéresse, c'est de t'humilier.

Elle semblait en pleine forme, mais Julien soupçonna que cet étalage de bonne humeur dissimulait quelque chose.

— Embrasse-moi, répéta-t-elle.

Elisabeth entrait au même moment dans la chambre, extrêmement agitée.

— Ton père a pris Colmar !...

— Et la cathédrale ? demanda Sophie.

Mme Ségur n'était pas en humeur de se laisser distraire par ce genre de sarcasme.

— Je retourne aux nouvelles, dit-elle.

Sophie réfléchit.

— Colmar ? Je croyais que c'était près d'Aix-en-Provence...

— Nous avons beaucoup reculé, dit Julien.

Sophie, soudain, lui tendit l'échiquier qu'il posa à terre.

— Tire le verrou.

Il alla à la porte et tourna le verrou.

— Musique, s'il te plaît... Mozart. Les sonates...

« On dirait Lola », pensa-t-il.

Il obéit.

Elle lui fit signe de s'allonger sur le lit. Elle repoussa le drap, ouvrit sa chemise, découvrant sa poitrine.

— Tu aimes mes seins ?

Il se pencha, embrassa un sein, garda le bout dans sa bouche.

— Tu n'as pas répondu, dit-elle.

— Tu as les plus jolis seins du monde... Tu veux une description ?

— Oui.

— Je n'aime pas les seins agressifs. Je les aime amicaux, ni grands ni petits, avec un cercle rose, un nez qui bande, mais qui bande décemment. Pas un sein de dame, pas non plus un sein de pucelle qui ressemble à un bouton. J'aime les seins de Sophie, un peu trop beaux pour être vrais...

Elle l'attrapa par les cheveux, plus violente qu'à l'ordinaire, et l'embrassa. Elle le garda contre elle. Depuis qu'il avait mis le pied dans la chambre, Julien savait qu'une pensée secrète la tourmentait. Il attendit.

— C'est facile de prétendre qu'on aime, dit Sophie. En général, une façon de payer les impôts du bonheur... Ecoute-moi, mon chéri.

Sophie l'appelait rarement « mon chéri ».

— Aimer, c'est accepter les désirs de l'autre, n'est-ce pas ?

— Oui, dit Julien.

Elle caressait sa joue et le regardait dans les yeux.

— Est-ce que tu m'aimes assez pour m'aider à mourir ? Ne réponds pas ! Attends... Je ne parle pas d'aujourd'hui. Je parle d'un jour dans le futur qui peut-être n'arrivera jamais... Tu sais que je ne veux pas t'attirer d'ennuis et surtout pas que tu risques la prison. Mais, si, un jour, j'en avais marre, vraiment marre... Et qu'on trouve un moyen... Tu m'aiderais ? C'est si triste de mourir seule. Non !... Ne dis rien. Je ne veux pas de morale. Tu n'es pas comme eux, mon amour. Tu es mon bébé, mon père, mon inspiration. Tu es ma respiration.

Elle rit tristement.

— C'est un peu littéraire, non ? Mais les mots, mes seins, ma bouche, c'est tout ce qui me reste. Ne m'en veux pas. C'est bête de mourir. Quelquefois, c'est encore plus bête de vivre... Mon amant, mon chéri, promets-moi que tu m'aideras à mourir comme tu m'as aidée à vivre.

Julien regardait les toits ruisselants d'eau. Tiens !
Le vitrier, finalement, était venu... Il pensa à son
anniversaire. Dix-sept ans dans une semaine. L'âge
d'être soldat. L'âge de faire l'amour. L'âge de s'amuser. Pour lui, l'âge de prendre la vie d'une femme
qu'il aimait. C'était injuste.

— C'est si triste de mourir seule, répéta Sophie.

Savoir qu'elle pouvait mettre fin au calvaire quand
elle le déciderait était une façon de tenir les rênes de
son existence. Une façon d'échapper à son état
d'esclave. Julien comprit que cette idée lui était nécessaire, qu'elle l'aidait à vivre.

— Je te le promets, dit-il.

XIX

La « minaudière » avait refusé l'appartement de la rue Etienne-Marcel à Julien qui cherchait un local pour célébrer l'avènement de sa « dix-septième année de présence assidue sur la troisième planète du système solaire ». Il avait songé au 14, quai d'Orléans. Pour des raisons différentes, ni Sophie ni Elisabeth ne s'étaient montrées spécialement enthousiastes. L'appartement, trop exigu, se prêtait d'ailleurs mal au genre de soirée que Julien avait en tête. Lola suggéra l'avenue Deschanel. Julien déclina l'offre. Il ne se sentait pas libre entre les poteries Ming et les bergères Louis XV. Saint-Nom-la-Bretèche posait le problème du transport. Le dernier train quittait la gare à minuit trente.

Finalement, Lucien Arnaud accepta de prêter le local du cours, à condition d'être invité.

On décora les murs de guirlandes de papier et de lampions de 14 juillet. Jeanine emprunta à Serge Beaufort un électrophone et quelques disques. Lola se chargea du buffet et de la boisson.

L'ange affamé

La fête commença vers 19 heures et, de l'avis général, fut une réussite totale. Florence, Charlie, Gérald et la princesse s'amusèrent comme des enfants. Léon, arraché à son environnement, se montra charmant et drôle. Lola n'en revenait pas. Après la représentation, Charles Dullin et Mme Jolivet firent une entrée surprise, provoquant un bref instant de panique. Le Maître était craint autant qu'aimé et respecté. Transformer le cours en boîte de nuit... Qu'allait-il dire ? Enchanté, il resta plus d'une heure. Julien en fut profondément touché.

La même nuit, des forteresses volantes anglaises et américaines survolaient la ville de Dresde, vague après vague, larguant du ciel l'horreur et la mort. Plus de cent mille réfugiés, vieillards, femmes et enfants mouraient sous les décombres, asphyxiés dans les caves ou brûlés vifs par les flammes des bombes au phosphore.

La même nuit, Sophie buvait seule, dans son lit, la bouteille de champagne laissée par Julien. Elle était saoule et pleurait.

La même nuit, Louise Morin prenait le dernier bain de sa vie. Elle s'était taillée les veines du poignet avec une lame de rasoir. L'eau était rouge. Au matin, Li Phang la trouverait, morte depuis deux heures déjà.

La fête se termina avec le lever du soleil. Quelques filles et garçons dormaient sur les bancs du cours, épuisés d'avoir trop dansé, trop bu et tant ri.

Julien n'apprit que trois jours plus tard, par la concierge des Ségur, le drame du 16, quai d'Orléans. Il essaya de voir Carmen. Li Phang était seul dans l'appartement, en uniforme, ses valises bouclées. Laconique à son habitude, il répondit cependant aux questions de Julien. Non, il ne savait pas où était Mlle Carmen. Chez sa grand-mère paternelle, sans doute. En Bretagne ou en Vendée. Il ne se souvenait pas du nom de la ville. On avait transporté le corps de madame à la morgue de l'hôpital Fernand-Widal. L'enterrement aurait lieu en province. Pourquoi le suicide ? Les affaires privées de ses patronnes ne regardaient pas Li Phang... Mademoiselle s'était disputée avec Madame ? Non, ça n'était encore jamais arrivé. Pas en sa présence, en tout cas. Mademoiselle Carmen avait quitté le 16, quai d'Orléans lundi dernier. Une fugue, apparemment. Madame n'avait rien mangé d'une semaine, ne sortait plus, ne parlait plus. C'est-à-dire qu'elle parlait, mais seulement quand elle était seule... Li Phang avait répondu aux questions de la police. Me Desroches, le notaire de Madame, était passé le matin même pour l'inventaire. On allait placer les scellés et l'appartement serait mis en vente. Les frais de succession, les dettes, avait dit Me Desroches. Mme Morin dépensait sans compter. Elle n'écoutait pas les conseils de son notaire.

— Vous savez où aller ? demanda Julien.

— Les places ne manquent pas, dit Li Phang. Je vais d'abord me rendre à Lourdes, en pèlerinage.

— Vous êtes catholique ?

— Oui, monsieur. Elevé dans un couvent près de Da Nang.

— Bonne chance.

— Merci, Monsieur.

Julien se retrouva dans la rue, éprouva le besoin de marcher. D'être seul. Le souvenir des cheveux blonds de Carmen, endormie près de lui dans la lumière blafarde d'un matin de pluie, l'obsédait. La prescience d'un malheur imminent ne l'avait pas décidé à revenir sur ses pas. Peur d'assumer ses faiblesses ? Ou, comme il l'avait pensé, à cause de Sophie ? La première raison n'excluait pas l'autre. On a tendance à vouloir simplifier les causes d'un accident : faute humaine, défaillance mécanique, conditions atmosphériques sont en général responsables, à divers degrés, d'une catastrophe aérienne. Le public exige une seule réponse, commettant l'erreur de croire que la vérité est nue, unique et limpide. « Rien de plus imprécis, de plus fuyant, de plus menteur que la vérité », pensa Julien. Il se reprochait un manque évident de psychologie. Il avait jugé Louise étrange, particulière dans son comportement, mais forte. Solide. Et Carmen, vulnérable. Il s'était trompé. Il voulut rechercher les raisons du suicide et perdit le fil de son enquête. Il s'aperçut qu'il ne connaissait rien du caractère réel de la mère ou de la fille. Et, moins encore, les raisons profondes de leur attachement mutuel.

Retrouver Carmen ? Possible en passant par Me Desroches. Mais pourquoi ? Il fut souvent tenté par cette idée et ne s'y résolut jamais.

Les arbres s'habillaient, les filles se découvraient. Sans préavis, le printemps avait fait son entrée. Il sévissait en tyran débonnaire et libéral dans les rues de Paris, taquinant les corps et les cœurs, garnissant les terrasses des cafés, s'offrant parfois le plaisir d'une ondée soudaine qui chassait les passants affolés vers l'abri d'un porche ou d'une bouche de métro.

Julien passa une audition au théâtre La Bruyère, sans grand espoir, et décrocha le rôle principal d'une pièce destinée à être jouée à Paris dans le cadre du Concours des jeunes compagnies, après une brève période de rôdage en province. Six heures de répétition par jour. Pas de salaire. Pas le temps non plus d'exercer un autre emploi. Il avait pourtant besoin d'argent. Il réfléchit et trouva une solution à ce problème délicat.

Lola était maintenant l'assistante officielle de Corbeau. Elle travaillait au studio Francœur sur un film d'André Solliès qui, en 1945, partageait la vedette avec Marcel Carné, Henri Georges Clouzot et René Clair, rentré des Etats-Unis. Parrainé par le photographe de plateau, Julien s'inscrivit à la régie comme figurant. Il passa une journée au studio. Le lendemain, il n'y fit qu'une brève apparition et chargea sa sœur de toucher son salaire.

— L'enveloppe de Versois, demanda Lola en se présentant à la caisse. C'est mon frère.

— Où est-il ?

— Au théâtre. Il joue ce soir. Il n'a pas le temps de faire la queue.

La combine dura deux semaines.

Malheureusement, André Solliès se souvint d'un jeune figurant qui tirait les canards en carton, le premier jour de tournage, dans le décor de la foire et l'avait fait rire en criant : « Coupez ! », vexé d'avoir manqué la cible. Il désirait un plan de coupe, précisément, sur un adolescent regardant Fernandel échanger un baiser avec la caissière des autos tamponneuses et lança son assistant à la recherche du tireur de canards.

Le régisseur découvrit ainsi le pot aux roses, pista le coupable et le convoqua. Il somma Julien de rendre ses cachets sous peine de poursuites judiciaires. Solution qui ne convenait absolument pas au jeune acteur.

Averti que son plan de coupe donnait du fil à retordre à la production, André Solliès décida d'intervenir. Il entra dans le bureau de la régie. Julien disait :

— Ouno, je suis mineur. Deusse, si vous m'emmerdez, j'appelle les flics.

— C'est un monde ! rugissait le régisseur. Le voleur qui appelle la police ! Ce coup-là, on ne me l'avait jamais fait !

— Jamais trop tard pour apprendre.

— Voilà le téléphone. Allez-y.

Julien décrocha le récepteur.

— Vous savez ce que je vais leur dire ?... Je ne veux pas vous prendre en traître. Je vais expliquer que j'avais peur de revenir au studio.

— Peur ?

— Je n'aime pas qu'on me pelote les fesses. Vous connaissez l'opinion des flics sur les gens de cinéma... Je n'aurai pas de mal à les convaincre que vous avez la main leste.

Le régisseur, bon chrétien et bon père de famille, était au bord de l'apoplexie.

— Ça va, Ganz, dit André Solliès. Je m'occupe du repris de justice.

Il attrapa Julien par le coude et l'entraîna vers le plateau.

— Ça rapporte bien, le chantage ? s'informa-t-il.

— Je ne sais pas, dit Julien, c'est la première fois que j'essaye.

— Rien ne vous obligeait à revenir...

— Je ne voulais pas qu'on s'en prenne à Lola... Ma sœur. L'assistante de M. Corbeau.

Il décida qu'il pouvait faire confiance au metteur en scène.

— C'est elle qui signait la feuille de paie à ma place.

André Solliès, amusé, demanda :

— Vous n'aimez pas le cinéma ?

— Le cinéma, oui. Figurant..., ce n'est pas très exaltant.

Julien se prit d'amitié pour cet homme qui l'observait avec ironie et tendresse. Il expliqua que les répétitions au théâtre La Bruyère lui laissaient peu de temps libre.

— La pièce sera vue par les critiques et un jury composé d'auteurs dramatiques et de vedettes.

Solliès tourna son plan et fut satisfait de Julien. Désirant mieux connaître l'escroc en herbe, il l'invita à dîner.

Julien se montra exceptionnellement loquace. André apprécia ses manières. Le jeune homme parlait en mangeant sans s'essuyer la bouche tous les trois mots. Ni pédant ni timide, il s'exprimait avec un enthousiasme juvénile balancé d'humour noir — d'humour gris, rectifia mentalement André. Il savait aussi écouter.

L'intérêt qu'on lui portait inquiéta soudain Julien. « Il a peut-être une idée en tête ? »

— Je parle beaucoup de moi, dit-il. Et vous ?

211

— Moi, répondit André, je suis divorcé. J'ai une fille de douze ans. Je prends mon métier au sérieux sans me prendre moi-même au sérieux, contrairement à la plupart des gens. Je suis né avec le siècle, mais j'aime la compagnie des jeunes. Ce qui me vaut une réputation équivoque, tout à fait injustifiée. Je suis, de nature, curieux.

Julien observait le profil généreux, la bouche savante, dessinée au couteau, les mains nerveuses, élégantes, les doigts allongés... André s'aperçut que le garçon regardait ses mains et dit :

— Vous avez des doigts de pianiste. Longs, solides, indépendants.

— Mon père était un grand pianiste, dit Julien. Il a essayé de m'apprendre à jouer. Sans succès. Il ne voulait pas d'un pianiste médiocre dans la famille. Il disait que rien n'est plus déprimant qu'un pianiste médiocre.

Ils parlèrent ensuite des camarades de Julien. Des jeunes en général.

— Nous sommes une génération de cyniques romantiques, dit le garçon.

Solliès avait un projet de film sur la jeunesse de l'après-guerre. Il proposa à Julien d'être son « conseiller artistique ».

— C'est-à-dire ?

— Donner votre point de vue sur les caractères. Raconter vos expériences. Une sorte d'agent de liaison entre la vie telle que vous la voyez et les pages du scénario.

— Je serai payé ?

— Il faut que j'en parle au producteur. Vous aurez un salaire.

— D'accord, dit Julien.

Il était minuit. Le metteur en scène demanda l'addition.

— A quelle heure terminez-vous vos répétitions ?

— Vers sept heures.

— Passez chez moi demain, 62, rue Lord-Byron. 9 heures, ça vous convient ?

— Oui.

Sur le trottoir, André Solliès demanda :

— Où allez-vous ?

— J'ai manqué le dernier train. Je vais coucher chez des amis, quai d'Orléans.

Tandis qu'ils roulaient dans le cabriolet Chrysler décapotable du metteur en scène, Julien dit :

— J'ai une voiture. Mais pas de bons d'essence. Ma sœur les fauchait pour moi dans le bureau de son mari. Malheureusement, il s'en est aperçu. Elle n'a pas encore découvert la nouvelle cachette.

Les relations d'affaires assez spéciales entre le frère et la sœur amusaient André. Il rit.

— Je pourrais vous obtenir quelques bons d'essence par le studio.

— Oh, merci ! Vous êtes un père, dit Julien.

Il réalisa que la formule correspondait à l'élan quasi filial qu'il éprouvait pour André Solliès. Il se sentait compris, protégé. Un sentiment confortable, chaleureux, qui le pénétra d'une joie nouvelle.

XX

La critique de Jean-Jacques Gautier, dans *Le Figaro,*
sans être méchante, manquait d'enthousiasme. Le
thème de *Captain Smith,* pièce en trois actes présentée
dans le cadre du Concours des jeunes compagnies, lui
paraissait léger. Un acteur, cependant, l'avait impressionné. « Julien Versois m'a fait rire. Beaucoup de
présence. Personnalité attachante. Il place ses effets
avec l'assurance et la précision d'un acteur
consommé. Il n'a que dix-sept ans, paraît-il. S'il tient
ses promesses, nous en reparlerons. »

Sophie reposa le journal. Elle regarda Julien avec
l'expression d'orgueil et de fierté d'une mère pour un
fils trustant les lauriers un jour de remise des prix.

— Solliès était dans la salle, dit Julien. Je l'ai un
peu épaté. Il va me donner un rôle dans son prochain
film.

— Du cinéma ?... N'en parle pas à Dullin, il aurait
une attaque.

Ils rirent ensemble. Le Maître se résignait parfois à
la déchéance de la caméra au nom du théâtre, quand,

étranglé par les huissiers, il ne lui restait pas d'autre issue. De ses élèves, il exigeait une pureté absolue : un comédien qui sacrifiait à l'écran était pour lui une prostituée.

Julien embrassa Sophie. Il ouvrit la chemise, découvrit un sein, souffla sur le bouton aussitôt durci, le serra doucement entre ses dents... et se mit à téter.

— Jus d'orange, ce soir, apprécia-t-il.

Un de leurs jeux. Selon les jours et l'heure, Julien avait droit au chocolat chaud, au lait grenadine, au bouillon de culture et même au champagne. Il lui arrivait de recracher, indigné : « Tilleul-menthe !...»

Après la tétée, Julien posa l'échiquier sur les genoux de la jeune fille. Comme toujours, il gagna. Comme toujours, Sophie trouva de mauvaises raisons à sa défaite.

Mme Ségur entra dans la chambre, ouvrit l'armoire, en sortit une robe bleue à pois blancs. Elle pinça les lèvres en remarquant le corsage largement ouvert sur la poitrine de sa fille. Sophie se reboutonna et s'adressa à ses seins :

— Censurés, petits !...

Julien avait oublié le jeudi du curé. Deux fois par mois le père Moreau dînait au 14, quai d'Orléans. Un rituel qui ne souffrait pas d'exception.

— Attendez-nous dans le salon, dit Elisabeth au jeune homme. Si le père arrive, servez-lui son porto.

Julien quitta la pièce furieux contre lui-même : trop tard pour trouver une excuse ! Il lui faudrait supporter la conversation insipide du prêtre. Le brave homme manquait à ce point d'originalité que Julien en avait d'abord été fasciné. Dès la seconde rencontre, l'amusement céda le pas à l'ennui et l'ennui à la torpeur. Il envisagea de se jeter par la fenêtre. « Je ne peux pas faire ça à Sophie », décida-t-il.

La bouteille de porto, aux trois quarts pleine, pouvait le soutenir dans l'épreuve qui l'attendait. Il remplit deux verres qu'il but d'un trait, coup sur coup. Il hésitait à répéter l'opération quand on sonna. Il ouvrit la porte.

— Quel plaisir, mon père, dit Julien. Entrez... Mme Ségur nous rejoint dans un instant... Vous avez une mine superbe... Un doigt de porto ?... Voilà... Deux doigts ?... Vous avez écouté le discours du Général ?...

Il ne laissait pas à l'autre le temps de répondre, passant d'une question à la suivante. Mme Ségur, subodorant quelque chose d'insolite, entra dans le salon.

— Bonsoir, mon père... Julien, pouvez-vous aider Sophie ?

Quand il fut sorti, le curé remarqua :

— L'enfant paraît extrêmement agité... D'ordinaire, il n'ouvre pas la bouche.

Sophie attendait Julien, vêtue de sa robe bleue à pois. Une courtepointe couvrait ses jambes. Il la porta jusqu'au fauteuil roulant.

— N'as-tu pas honte de te moquer de ce brave homme ? dit Sophie.

— Je ne me moque pas. Je parle à sa place pour lui éviter le péché de banalité.

— Ce n'est pas un péché.

— Mais si. Le onzième commandement : « Tu n'assommeras point ton prochain de propos insipides. » C'était sur la tablette brisée par Moïse. Peu de gens le savent.

Le dîner se passa sans incident.

216

Au café, Julien se tourna vers le père Moreau avec un sourire angélique qui alerta aussitôt Sophie. « Il est sur un mauvais coup », pensa-t-elle.

— J'aimerais avoir votre avis sur un événement qui m'a toujours troublé, mon père...

— Je vous écoute Julien...

— L'affaire remonte à l'été 1943... Je ne pense pas vous avoir dit que j'habitais à l'époque une ferme perdue en montagne. A 2 kilomètres, à vol d'oiseau, du col des Gets, pour être précis. J'avais pour ami un garçon de mon âge, François Anthonioz, le fils aîné du Père-des-douze. Une personne sur deux, aux Gets, s'appelant Anthonioz, il fallait pour s'y retrouver, les singulariser par un sobriquet : « P'tit Pierre »... « le Billieux »... « la Chopine »... A la maison, nous avions adopté un système démographique : « la Mère-des-six »... « Le Père-des-huit »... « Le Père-des-jumeaux »... etc. Les paysans savoyards sont de braves gens, mais difficiles à apprivoiser. Ma mère nous avait obligés, ma sœur et moi, à nous rendre au catéchisme... Pour être franc, mon père, nous n'étions pas très pratiquants, mais elle pensait que nous envoyer à l'église rassurerait les voisins et ferait plaisir au curé dont l'influence est toujours grande dans ces petits pays... Ma mère est très tolérante et croit au libre arbitre : si les leçons de catéchisme devaient nous rendre croyants, elle aurait accepté le fait sans chercher à nous influencer. Le curé du village, lui, n'avait pas la même largesse d'esprit. Chaque dimanche, dans son sermon, il stigmatisait l'amour libre. Ma mère était la seule femme qui, dans un rayon de 20 kilomètres, vivait avec un homme sans être mariée. Il ne fallait pas être bachelier pour deviner quelle cible visait le curé.

Nous décidâmes, ma sœur et moi, de boycotter le catéchisme et la messe.

Le père Moreau hocha la tête comme s'il allait dire quelque chose, mais resta silencieux.

— Je ne sais si nous avions raison ou tort, reprit Julien, mais cette décision allait, en ce qui me concerne, changer le fil de ma vie... Un dimanche d'août, je décidai de me rendre avec mon copain François (le fils du Père-des-douze) au hameau de L'Echelle, chez le cousin Anthonioz, dit « la Chopine », acheter du lard et des œufs. François avait mis le costume bleu et la cravate pour le service de 11 heures. Il faisait beau, il faisait chaud, n'allant pas à la messe, j'étais en culotte courte et chemise légère. Je l'attendis devant l'église avec les vélos.

Il me rejoignit vers midi et nous partîmes aussitôt. Après 3 kilomètres de route relativement plate, le chemin de terre montait en lacet vers le sommet de La Turche. Dans la forêt, nous nous arrêtâmes pour nous rafraîchir à l'eau d'un torrent. François me parla de Céline, la fille cadette du Père-des-huit, qu'il avait embrassée la veille, à la fromagerie, entre deux rangées de reblochons. Son premier baiser. Il venait d'avoir quatorze ans. Il était heureux...

Le hameau de L'Echelle — trois fermes et une grange à foin — nichait au centre d'une large clairière. Le torrent, à cet endroit, bondissait de cuvette en cuvette. Le bruit des cascades avait couvert jusqu'au dernier instant le grondement des moteurs et la voix de l'officier S.S. hurlant ses ordres. Nous fîmes demi-tour, mais trop tard. On nous avait vus. Un motard en side-car nous rattrapa et nous poussa devant lui, comme des poulets de basse-cour, jusqu'à la grange.

Les habitants du hameau, quinze personnes environ, étaient massés entre l'abreuvoir et l'un des camions. Je remarquai alors les Français. En uniforme bleu de la milice. Un S.S. triait parmi le troupeau effaré, femmes, vieillards et enfants qu'il rejetait derrière lui. Quatre hommes restaient qui furent conduits à coups de crosse vers l'intérieur de la grange. Le plus jeune avait vingt ans, le plus âgé soixante, peut-être un peu moins, peut-être un peu plus, il est souvent difficile de donner un âge aux paysans. L'officier cria quelque chose en nous montrant du doigt. Un autre S.S. s'approcha, m'ordonna de rejoindre le groupe des femmes, des enfants et des vieillards et fit courir François en le frappant aux chevilles du canon de son fusil... Son costume du dimanche l'avait perdu. En culotte courte, j'étais un enfant, en complet et cravate, François était un adulte. Les brutes ne perdaient pas leur temps en détails d'ordre psychologique.

L'Allemand referma la porte de la remise sur le dos de l'enfant. Les miliciens français arrosèrent les murs d'essence et y mirent le feu. Les vieilles planches et le foin s'enflammèrent d'un coup, comme au cinéma. En dix secondes, les langues de feu montèrent jusqu'au ciel, affamées, délirantes... Le hurlement des femmes et des enfants, le bruit sinistre du bois éclaté couvraient les cris des brûlés vifs. Anthonioz la Chopine, le regard fixe, répétait mécaniquement avec son accent savoyard un peu traînant : « Vingt Dieux... Vingt Dieux... Vingt Dieux... »

Dans le salon petit-bourgeois du lieutenant-colonel Ségur, le silence répondit au récit de Julien. Le garçon se souvint du capitaine français de la milice qui s'était retourné et pissait contre l'abreuvoir. Quelles pouvaient être les pensées de cet homme aidant les barbares venus du nord à brûler un enfant ?... Un grand nombre de miliciens étaient des repris de justice tirés de prison, mais pas les officiers. Celui-là portait une alliance. Il avait peut-être un fils de l'âge de François et sans doute allait-il à la messe...

— Pourquoi nous racontez-vous ça ? dit Elisabeth, rompant le silence. C'est horrible.

— Je sais pourquoi, murmura le père Moreau.

Julien regardait, incrédule, les larmes qui coulaient sur les joues du prêtre.

— L'enfant François s'est habillé pour prier le Seigneur, il en est mort. L'enfant Julien qui refusait la messe a été épargné. Il a vu dans cette tragédie le symbole de l'injustice et du désordre qui règne sur le monde... Il a réagi en être de chair, confondant sa propre logique avec la logique de Dieu... Dieu a ses desseins qui sont d'une autre dimension... Juger Dieu sur les événements de notre vie, c'est regarder notre reflet dans l'eau d'un étang et, si le vent qui se lève en déforme l'image, croire qu'on est un monstre... L'enfant Julien, même si un ministre maladroit l'a détourné pour un temps de l'église, est peut-être destiné à changer la vie d'autres créatures du Seigneur... Qui peut le dire ?... Et qui peut dire que ses douleurs, physiques ou morales, étendues sur une vie, ne seront pas mille fois plus grandes que les trois minutes d'enfer vécues par François ?...

Le prêtre se tourna vers Julien et le regarda dans les yeux.

— N'oubliez pas, mon ami, que la vie n'est qu'un souffle. Dieu qui parle d'éternité agit souvent comme un docteur, il fait mal pour guérir. On ne peut croire ni comprendre Dieu, tant que la mort vous apparaît comme une punition.

— Vous n'avez pas peur de mourir ? demanda Sophie.

— J'ai peur, parfois... dit le prêtre. Je ne suis pas un saint. Je ne suis qu'un petit curé qui fait au mieux de ses moyens... J'ai douté, oui. Il m'arrive encore de douter...

— Mon père ! s'écria Elisabeth, scandalisée.

L'émotion lui donna le hoquet.

Julien crut percevoir un léger sourire sur les lèvres du père Moreau. « Il est pompeux, mais pas si con, finalement », pensa-t-il.

— Elisabeth, dit le prêtre, même saint Paul a douté. Si nous étions infaillibles, nous ne serions pas sur terre.

— Moi, je n'ai (hic !) jamais (hic !) douté, dit Mme Ségur.

Le vieux curé se leva et prit la main d'Elisabeth.

— Dites : J'ai le hoquet, Dieu m'l'a donné, vive Jésus, je n'l'ai plus !

Elle finit par sourire.

Le père Moreau embrassa Sophie et de dirigea vers la porte.

— Ne vous dérangez pas, dit-il à Mme Ségur qui repoussait sa chaise.

Elle devina que c'était un ordre et resta en place.

A la porte de l'ascenseur, le prêtre posa une main sur l'épaule du jeune homme.

— Prenez soin de Sophie. Mais ne promettez rien que vous ne puissiez tenir.

La grille se referma. Le père Moreau appuya sur le bouton du rez-de-chaussée.

— Bonne nuit, mon père, dit Julien.

Au milieu de la nuit, Julien fut pris d'un mauvais rêve. Il parlait dans son sommeil et geignait doucement. Sophie l'éveilla en lui caressant les cheveux.

— Viens, dit-elle. Viens près de moi.

Elle fit une chose qui lui semblait encore impossible quelques heures plus tôt. Elle souleva le drap et laissa Julien se glisser dans le lit à son côté. Il chercha sa bouche et l'embrassa.

— Tout est bien... Tout est bien, mon bébé, dit-elle.

Sophie était chaude, rassurante. Julien laissa sa main descendre sur le ventre qui palpitait doucement, au rythme de la respiration. Il s'arrêta sur le dôme tendre du sexe qu'il caressa à travers le voile de la chemise de nuit. Le tissu mouillé épousait la forme des lèvres.

— Oui, mon bébé, dit Sophie... Si tu veux.

Elle releva la chemise sur ses hanches et de ses mains, écarta ses cuisses inertes. Elle prit les doigts de Julien qu'elle guida jusqu'à son sexe ouvert. Il bougeait à peine et s'aventura au creux de la gorge... Il remonta vers le pénis minuscule qui durcissait entre son pouce et son index et le branla doucement... Il eut l'impression de voir avec sa peau et comprit qu'un aveugle sût reconnaître un visage au toucher. Il avait, depuis quelques mois, caressé d'autres femmes, mais ce soir c'était différent. Ce n'était plus l'invasion d'une intimité offerte et violée, mais un échange, un voyage à deux. Il donnait le plaisir et pensait « merci ». Il retourna au profond de la gorge, lui fit l'amour avec un doigt, avec deux doigts, la laissa

222

gémir et crier longtemps, la martyrisa si tendrement qu'elle jouit dans sa main, jusqu'au creux de sa main, épuisée, inondée.

Un peu plus tard, quand ? le temps ne se comptait plus en secondes ou en minutes, mais en pulsations d'éternité, elle dit :

— Et toi ?

Il ne répondit pas et l'embrassa sur les lèvres. Sophie mouilla sa main de son plaisir. Douce et savonneuse, elle branla son amant. Elle garda sa bouche contre la sienne, aspirant ses plaintes et quand, enfin, il jouit, elle appuya son sexe sur son ventre.

— On recommencera ? demanda-t-elle.

— Oui.

— Quand ?

— Maintenant.

Et ils recommencèrent.

Quand le jour se leva, Sophie dormait profondément. Julien ouvrit les yeux. Il se glissa hors du lit. Il n'était pas certain de la réaction de Sophie s'éveillant, chemise troussée, jambes écartées et lui, dormant, contre elle. De nature prudente, il préférait ne pas prendre de risques inutiles.

Avant de se rendormir sur son matelas, posé à même le sol, les derniers mots du père Moreau lui traversèrent l'esprit : « Ne promettez rien que vous ne puissiez tenir. » Il en éprouva une sorte de vague malaise. Le sommeil, soudain, le fuyait. « Il m'emmerde, ce curé », pensa-t-il.

De l'autre côté de la terre, sur une île du Pacifique, 71 000 civils japonais venaient de mourir, carbonisés ou réduits à l'état d'ombre sur quelque pan de mur. 30 000 environ, moins favorisés, se voyaient condamnés à des peines d'agonie allant d'une heure à vingt ans.

Truman avait lâché sa bombe.

Cent six jours plus tard allait s'ouvrir, à Nuremberg, un procès historique instruit par les Américains et leurs alliés pour juger les criminels de guerre.

Finalement, Julien s'endormit.

Le ciel était gris, mais il faisait bon.

Julien marchait sans but précis boulevard Saint-Germain et pensait à Sophie. Joyeuse, tendre, elle l'avait embrassé, ne paraissant nullement gênée aux souvenirs de la nuit.

Une femme d'une cinquantaine d'années, assez forte, les cheveux serrés dans un fichu mauve vendait *France-Soir*. Elle était assise sur une chaise de bistro et criait : « La bombe zatomique !... La bombe zatomique !... »

Julien lut le titre qui s'étalait sur les trois quarts de la première page :

BOMBE ATOMIQUE AMÉRICAINE SUR HIROSHIMA.

Il acheta le journal.

Devant l'église Saint-Germain-des-Prés, il remarqua un attroupement. Monté sur le toit d'une voiture, Pascal Cousin haranguait la foule dans la meilleure tradition des prédicateurs d'outre-Atlantique.

— ... est à nous ! furent les premiers mots que Julien put entendre. Démodé le champignon de Paris, démodé le bolet de Satan !... Au menu, le champignon atomique !... Sauce chinoise, grillé à l'africaine, en coulibiac, à la russe, servi sur hamburger, style yankee, bien revenu, à la sauce normande, pour le faire avaler aux Français, en saucisse pour les boches, bouilli pour les Anglais... Françaises, Français, vous ne réalisez pas votre bonheur. La bombe atomique, c'est l'ultime sécurité ! L'égalité dans le néant !... Le suicide n'est plus l'affaire de maris cocus ou de fillettes en mal d'amour, le suicide, enfin, est démocratisé !... Jaunes, Noirs, Rouges, Blancs, tout le monde y a droit ! C'est la bute finale !...

Les gens riaient. Il fallait être Pascal pour faire rire en annonçant la fin de l'humanité. Il repéra Julien et sauta de sa voiture. Il passa un bras autour du cou du jeune homme et l'entraîna en direction de la rue Saint-Benoît.

— La fin du monde, ça s'arrose, dit-il.

« Oui, pensa Julien. Ça s'arrose. Je vais m'offrir une récréation gigantesque, démesurée, dantesque. Une récréation du tonnerre de Dieu... Après on verra. »

La récréation allait durer plusieurs années.

2

Jeter l'amour
par les fenêtres

I

Le 15 août 1945, l'Empire nippon cessa légalement
d'exister. Vingt-quatre heures après la fin officielle de
la Seconde Guerre mondiale, une autre guerre
commençait. En Indochine, Hô Chi Minh appelait à
l'insurrection générale. L'été, à Paris, était doux et
ensoleillé, on ne prêta guère d'attention à cet événement. A l'automne, Leclerc débarqua à Saigon, mais
les Français ne parlaient que de la crise du logement et
des prochaines élections législatives. Comme cadeau
de Noël, le gouvernement rétablit la carte de pain. Le
20 janvier 1946, De Gaulle remit sa démission, déçu du
retour à une politique des partis et agacé par les criail-
leries et les disputes dont résonnaient les murs de
l'Assemblée nationale.

A la fin de l'hiver, Julien étrenna ses dix-huit ans.

Il avait pressenti qu'à l'orage de la Seconde Guerre
mondiale allaient succéder d'autres tempêtes. La bombe
atomique sur Hiroshima l'avait beaucoup frappé —
contrairement à la plupart des Français — et confirma
son manque d'enthousiasme et de foi dans le destin de

l'humanité. Il aimait les individus, il ne respectait pas l'espèce. Il décida de profiter de la vie, de s'amuser, d'oublier demain. Il remit à plus tard l'ambition, le travail, la conscience sociale, l'engagement politique. La cloche sonnerait assez vite. En attendant, c'était la récré. Il négligea le cours Dullin, oublia le théâtre et laissa au destin le soin de s'inquiéter d'une carrière d'acteur de cinéma qu'il envisageait sans déplaisir.

André Solliès l'avait présenté à Jean Cocteau, à Colette, à André Malraux et d'autres gens célèbres. On aimait Julien et on recherchait souvent sa présence. Il ne profitait pas de cette chance inouïe, ne demandait jamais rien. Il appréciait ces rencontres mais n'en tirait d'autres avantages que le plaisir de l'esprit et la satisfaction de s'enrichir par l'expérience. Attitude qui le rendait d'autant plus sympathique. On cède aux ambitieux, sans pour autant les aimer.

Ce style de vie n'était concevable qu'à Paris et, plus précisément, à Saint-Germain-des-Prés. Là se retrouvaient jeunes provinciaux attirés par la capitale, intellectuels d'avant-garde ou d'arrière-garde (selon l'opinion que l'on avait de Sartre, de Camus, de Cocteau, de Boris Vian, d'Adamov ou de Prévert) ; là se retrouvaient femmes et fillettes en avance de quelques décennies sur leur temps, et qui affirmaient leurs droits à la liberté — liberté sexuelle au premier chef ; là se retrouvaient vedettes du théâtre ou du cinéma, journalistes, mécènes, femmes du monde en quête d'émotions nouvelles et, pour faire bonne mesure, car ils sont partout, quelques politiciens. Nul besoin d'avoir réussi ou de posséder un compte en banque pour être citoyen à part entière. Au restaurant ou , la nuit, dans la cave du Tabou, les nantis payaient, les autres se laissaient inviter. Si l'on était entre fauchés, on signait la note. Les dettes s'accumulaient, mais les commerçants se montraient coulants. Ce n'était pas par respect de l'art ou de la bohème. Ils savaient que ces garçons et ces filles aux cheveux trop longs, en chemise écossaise et pantalon râpé, servaient d'appât. Ils créaient l'ambiance et le public venait à Saint-Germain dépenser son argent. Le quartier était une ville dans la ville. Ou, plus précisément, un micro-univers.

Les rapports entre Julien et Sophie n'avaient guère évolué. Elle était son miroir, un écran sur lequel il projetait toutes les expériences et les événements de sa vie. Il aimait ce rôle d'Amphitryon, de chargé de mission. Dans ce domaine il prenait ses responsabilités au sérieux. Sophie ne vivait que par lui, à travers lui. Il ne la décevait pas. Il était sa télévision et mettait un point d'honneur à délivrer des programmes variés et de grande qualité. Les émissions érotiques étaient fréquentes. Ils y prenaient toujours, ensemble, autant de plaisir.

Il avait épuisé, sans succès, toutes les méthodes imaginables pour la convaincre de faire l'amour. Elle désirait sincèrement lui accorder cette joie mais ne pouvait s'y résoudre. Ses jambes mortes et décharnées, plus que jamais, lui faisaient horreur. Elle redoutait aussi de tomber enceinte. L'idée d'un enfant qu'elle ne pourrait élever normalement la terrifiait.

Le lieutenant-colonel Ségur était repassé par Paris avant de rejoindre le corps expéditionnaire de Leclerc en Indochine. Cette visite avait beaucoup affecté Sophie. Depuis (était-ce une coïncidence ?), ses crises dépressives se succédaient à une cadence alarmante. Son roman, dont elle écrivait les derniers chapitres, devint une autre source d'angoisse. C'est elle qui, maintenant, répétait à Julien :

— C'est mauvais ! C'est de la merde !... Je ne sais rien faire. Si, faire semblant. Faire semblant d'écrire, semblant de croire, semblant de vivre...

Elle le prenait dans ses bras.

— Non, ce n'est pas vrai... Je ne fais pas semblant d'aimer... Je t'aime Julien... Je t'aime au point d'étouffer.

L'attachement de Julien pour la jeune fille n'avait pas faibli. Au contraire, avec le temps, il s'était renforcé. Ses visites, cependant, se faisaient moins régulières. Sophie s'en inquiétait et ne disait rien. Elle craignait de donner au garçon l'impression que son amour était une obligation ou, simplement, un devoir. Il était jeune, il avait besoin d'espace et de liberté.

II

— La reine des putes a fermé les bordels !

Boris Vian s'assit à la table du café de Flore occupée par Julien et une jeune fille à la peau très blanche, dont les cheveux, visiblement privés de shampooing, tombaient en mèches raides jusqu'au milieu du dos ; Juliette Gréco ne chantait pas encore Prévert et Kosma mais on la connaissait dans le quartier. Un journaliste venait de l'anoblir en lui décernant le titre d'« Egérie de Saint-Germain-des-Prés ».

Vian était ravi de l'affaire Marthe Richard. L'idée qu'une espionne retraitée, célèbre, à tort ou à raison pour la légèreté de ses mœurs, entrât au gouvernement et obtînt la fermeture des maisons closes (un pléonasme, disait l'écrivain) l'amusait beaucoup. C'était un des paradoxes de la France d'après-guerre.

Ce 13 avril 1946, le soleil brillait, l'air était doux. Légère et court vêtue, Cornette entra au Flore, son carton à dessin sous le bras, comme elle le faisait chaque jour. Elle proposait ses aquarelles et ses portraits d'inspiration naïve. Il lui arrivait de vendre.

— Tu m'en prends un ? demanda-t-elle à Boris Vian.

— Désolé, Cornette, je suis raide comme un passe-lacet.

Elle sourit.

— Demain, peut-être.

Elle regardait Julien avec insistance. Le jeune homme connaissait Cornette de vue mais ne lui avait jamais parlé : le visage rond, plaisant, les yeux à l'expression amicale lui rappelaient quelque chose. Il chercha, ne trouva pas.

— Le petit garçon de l'Hôtel-Dieu ! s'écria-t-elle soudain. Sœur Catherine, vous vous rappelez ?

L'image de la petite nonne aux joues roses traversa aussitôt le souvenir de Julien.

— Je comprends d'où vient Cornette, dit-il en riant.

— Sœur Catherine est passée du service de Dieu au service du mot, dit Vian. Elle partage la couche et la honte du pape du lettrisme, Eric Marbot. On raconte des choses horribles, qu'il l'oblige, pour faire l'amour, à remettre son uniforme de religieuse. Il la trousse par-derrière et l'enfile en hurlant des poèmes à la gloire du paganisme.

— C'est vrai, dit Cornette, souriant modestement. On ne s'embête pas avec Eric. Il me bat quand je vais à la messe.

— Délicieux, constata Juliette Gréco.

Elle se leva pour rejoindre, deux tables plus loin, des amis qui l'appelaient. Boris Vian décida de réunir en session extraordinaire les membres du collège de Pataphysique dont il était le président honoraire, afin de décider d'une réponse exemplaire au coup de force de Marthe Richard. Il penchait pour une manifestation au graphisme symbolique. Les membres du collège, réunis sous les fenêtres du ministère de l'Intérieur, se branleraient à l'unisson en criant : « Marthe Richard, au pouvoir ! »

— On vous mettra en prison, dit Cornette.

— Impossible..., expliquait Boris Vian. Une queue, c'est une atteinte aux bonnes mœurs, cent soixante queues, c'est un défilé.

Le collège de Pataphysique ne vota pas la motion et les bordels restèrent fermés.

Julien suivit Cornette dans la rue. C'était un temps à flâner, un temps à respirer le bonheur, il n'avait rien à faire et descendit la rue Bonaparte en bavardant avec la jeune fille. Elle avait rencontré Eric Marbot sur un lit d'hôpital. Il se remettait d'une double fracture de la clavicule, occasionnée par un excès d'enthousiasme lors d'une soirée lettriste. Il était tombé dans la fosse d'orchestre de la salle de la Mutualité. Sœur Catherine était tombée amoureuse.

— Ce ne sont pas les arguments d'Eric qui m'ont décidée à quitter le voile, dit-elle. Personne ne comprend ce qu'il raconte... C'est l'amour. On ne peut pas désirer un homme et servir le Christ. J'ai choisi Eric...

Elle eut un rire léger, désarmant.

— Le problème, avec Eric, ce n'est pas qu'il parle toujours en code, c'est qu'il ne comprend pas non plus ce qu'on dit. Alors j'ai pris l'habitude de lui faire des dessins au lieu de lui parler. Ça lui plaisait, à moi aussi. C'est comme ça que je suis devenue artiste.

Arrivés quai Voltaire, ils passèrent un porche donnant sur une cour pavée. On entendait des cris déchirants et Julien crut qu'on assassinait quelqu'un... Le pape répétait le texte de son prochain manifeste.

Cornette et Eric habitaient un garage désaffecté. Sous une fenêtre en verre dépoli qui ne s'ouvrait pas, on avait mis le sommier. Une table de fer, deux chaises et un coffre en bois servant d'armoire complétaient le mobilier. Au mur, un grand tableau noir sur lequel Eric composait ses poèmes. Il détestait écrire sur papier. Cheveux bouclés tombant sur d'épaisses lunettes de myope, bouche charnue et enfantine, menton volontaire couronnaient un long corps emmanché d'un long cou. Julien le trouva beau. Il aimait les fous.

— Ecoute ça, dit Eric sans attendre que Cornette lui eût présenté le jeune homme

> Berk, plage, nage, sage...
> IRK VEINE
> JOUIIIIIIIIIISSSSSANCE
> IRK MIENNE
> PU ! PUE ! PUT ! PUS ! Berk
> HUUUUUUUURRRRRRLLLLLE
> IRK PLEINE
> ....
> PARIS !

En parlant, il écrivait son poème au tableau noir.

Julien ne se permit pas de rire. Visiblement, Eric se prenait au sérieux.

— C'est très bon...

— Ce n'est pas bon, connard, dit Eric. C'est capsulant.

236

Il se tourna vers Cornette.

— Je l'aime, ton copain. Il déclenche.

Il attrapa la nonnette défroquée par la taille et l'embrassa sur la bouche. Le baiser durait. Julien, flatté de déclencher, décida néanmoins que son absence ne serait pas remarquée et quitta le garage.

Depuis deux mois, et grâce à Lola, Julien habitait un studio mansardé au 12 de la rue Jacob. La jeune femme poursuivait brillamment sa carrière de photographe et travaillait maintenant pour différents journaux et magazines d'actualité. Léon prenait de plus en plus mal la chose. Les relations s'envenimèrent au point que Lola, excédée, se chercha un pied-à-terre pour échapper, quand elle le pouvait, à l'ambiance étouffante de l'avenue Deschanel. Elle donna à Julien une des deux chambres à coucher. A intervalles irréguliers, elle passait la nuit rue Jacob, se plaignait, parlait de divorcer. Sa fille Nathalie venait d'avoir dix mois et Lola craignait que son mari ne demandât la garde de l'enfant.

— Léon n'est pas en mesure de faire un procès, expliqua Julien. Tu sais trop de choses. Tu lèves le doigt et il se retrouve en taule.

Heureusement pour elle, Lola était passionnée par son métier. Elle gagnait bien sa vie et voyageait souvent, ce qui lui donnait l'occasion d'aventures extra-conjugales plaisantes et sans conséquence.

Julien voyait beaucoup André Solliès dont il était devenu une sorte d'assistant à tout faire, au statut privilégié. Il collaborait aux scénarios, partait repérer des extérieurs et, quand cela lui convenait, traînait sur les plateaux où tournait son protecteur : « Je ne suis pas là pour travailler, disait Julien, mais pour apprendre. » Solliès ne savait plus se passer du jeune homme. Il avait cependant renoncé à le mettre en cage et le traitait en fils prodigue.

Le projet du film sur la jeunesse, auquel Solliès s'intéressait toujours, était régulièrement reculé par le producteur que les idées et les conceptions du « plus jeune scénariste de France » (Julien s'était octroyé ce titre) rendaient perplexe.

En mai, un événement, auquel Sophie n'osait plus croire, bouleversa son existence : le Pr Armand annonça son intention de procéder à une seconde intervention chirurgicale dont il fixa la date au début du mois de juillet. Il désirait profiter de la présence à Paris d'une sommité mondiale en neurochirurgie, le professeur canadien Jacques Pecquet.

Lors d'une visite de Sophie à l'hôpital, Julien réussit à pénétrer dans le bureau de consultation du Pr Armand.

— Eh bien, mon jeune ami, remarqua ce dernier, on peut dire que vous êtes têtu... C'est une qualité que j'apprécie. Que voulez-vous savoir ?

— Tout. Enfin... Tout ce que vous voudrez bien me dire.

Armand hésita un moment.

— Je vous considère maintenant comme faisant partie de la famille, dit-il enfin. Je vous demande de considérer comme strictement confidentiel, du moins jusqu'à l'opération, ce que je vais tâcher de vous expliquer. Votre fiancée souffre d'une paraplégie d'origine lésionnelle. En examinant sa blessure, à l'Hôtel-Dieu, j'avais décidé qu'un geste chirurgical s'imposait d'urgence. Mon diagnostic : syndrome de compression médullaire ventrale.

Devant l'expression perplexe de Julien, Armand précisa :

— Il s'agissait ici de la compression de la moelle épinière par fragments osseux... Fracture vertébrale, si vous préférez. Les cordons moteurs ne paraissant pas entièrement sectionnés, la blessée gardait une chance de retrouver partie ou totalité de ses mouvements. Après l'intervention et dans les semaines qui suivirent, nous n'avons pas remarqué de signes de déficit sensitif. Hélas, pas d'amélioration non plus. Je vous l'avoue, j'avais alors pratiquement perdu l'espoir que votre fiancée pût retrouver un jour l'usage de ses jambes. Mais comment dire une vérité aussi dramatique à une si jeune femme ? La médecine comporte toujours une part d'incertitude et nous sommes nombreux à penser que la perte de l'espoir est parfois plus irrémédiable que certains dommages corporels. C'est pourquoi j'ai laissé espérer une seconde intervention, alors que je n'y croyais plus vraiment moi-même...

— Mais alors, coupa Julien...

— Attendez... Au début de cette année je me suis rendu au Canada, à l'université Mac Gee de Montréal. Vous ne le savez peut-être pas, ils sont, là-bas, en avance d'une décennie sur le reste du monde dans le domaine de la neurochirurgie. J'ai rencontré le Pr Pecquet et lui ai montré les radios et le dossier de Melle Ségur. Pecquet pensait que dans ce cas la paraplégie n'était pas forcément irréversible... encore que le temps, dans ce genre de traumatisme, ne joue pas

239

en faveur du patient. Il avait prévu un voyage en
Europe et proposa de m'assister lors de son passage à
Paris. Nous allons donc tenter l'impossible. Il y a toujours, heureusement, une chance de variation à partir
d'un schéma traditionnel.

— Quelle chance, professeur ?

— Question d'ignorant, répondit Armand. Si les
cotes vous intéressent, allez parier à Auteuil.

En quittant l'hôpital, Julien s'inquiéta de la réaction de Sophie. Dans l'esprit de la jeune fille, il n'y
avait qu'une alternative : elle allait mourir sur la table
d'opération ou bien guérir. Elle ne voulait pas envisager qu'elle pût se retrouver exactement au même point.

III

Julien aimait sa chambre de la rue Jacob pour diverses raisons et en particulier à cause d'Ernest Bidule. Dans sa lingerie, chez Florence, il s'était pris d'amitié pour un pigeon roucouleur qui venait régulièrement se poser sur l'appui de la fenêtre. Il l'avait baptisé Ernest Bidule et lui demandait des nouvelles du quartier, de l'état des toits et s'il avait chié, récemment, sur le képi d'un agent de police. Chassé de la rue Etienne-Marcel, il songeait souvent, avec mélancolie, à son copain roucouleur. Et voilà qu'Ernest Bidule était de retour. Tous les matins, avant le lever du soleil, il frappait aux carreaux et entamait son morceau favori. Lola, qui n'y connaissait rien en pigeons, se moquait de Julien :

— Ils se ressemblent tous. C'est comme les poissons. Va reconnaître une truite d'une autre truite !

— Un pigeon n'est pas une truite, Lola.

— Remplace les plumes par des écailles, trempe-le dans l'eau et tu as une truite.

Difficile, avec Lola, de poursuivre un raisonnement jusqu'à sa conclusion logique.

Quand Julien s'éveilla, il était seul dans l'appartement. Il remarqua les miettes de pain, déposées la veille sur le bord de la fenêtre, et auxquelles Ernest Bidule n'avait pas touché. Il s'inquiéta, espérant que son ami ne s'était pas fait écraser par un autobus ou étriper par un chat. Il se demandait ce qu'il allait faire de sa journée quand on sonna à la porte d'entrée. C'était Pascal.

— Salut, dit Julien. Qui t'a donné mon adresse ?

— Beaucoup trop tard pour parler de ces détails, dit Pascal. Tu as vu l'heure ? Je tombe de sommeil.

Il s'allongea sur le canapé et s'endormit dans la seconde qui suivit.

Julien était dans son bain, toujours préoccupé du sort d'Ernest Bidule, quand Lola poussa la porte et entra. Elle tenait dans ses bras la petite Nathalie, qui paraissait d'excellente humeur.

— Il y a un cambrioleur qui dort dans le salon, dit Lola.

— Oui, je sais. J'attends qu'il se réveille pour appeler la police.

Il lança quelques gouttelettes d'eau sur le nez du bébé.

— Alors, Liberté ? demanda-t-il. Comment va la vie ?

Julien avait proposé à sa sœur d'appeler la petite fille « Liberté ».

— Quand elle grandira, avait-il expliqué, tu pourras dire : Liberté ! ne mets pas les doigts dans ton nez ! Liberté, on ne dit pas « merde » ! Liberté, couche-toi ! Liberté, dépêche-toi, c'est l'heure de

l'école ! Liberté, au coin, tout de suite ! Ça t'apprendra à mordre le chat ! Liberté chérie, on ne tire pas sur
le zizi de papa ! Mange ton foie de veau, Liberté, et
pas de rouspétance ! Au lit, Liberté ! Eteins la
lumière, Liberté !... Qu'est-ce que tu en penses ?

— Elle s'appellera Nathalie, avait répondu Lola.

Liberté adorait son oncle et manifesta vigoureuse-
ment son intention de le rejoindre dans la baignoire.

— C'est fait. Je divorce, dit Lola.

— Tu ne vas pas me laisser Liberté ?

— Tu t'en occupes.

Elle posa le bébé à terre, embrassa son frère et sortit
de la salle de bains. Julien se précipita derrière elle,
dégoulinant, et la rattrapa à la porte. Il vit les deux
valises que Lola avait déposées dans l'entrée et comprit qu'elle ne plaisantait pas. Il s'affola.

— Tu ne vas pas me laisser Liberté ?

— Et pourquoi ?

— Elle est à toi, non ?

— Disons que je te la prête.

— Mais enfin, Lola, j'ai à faire...

— Quoi ?

— Des rendez-vous... Ma carrière...

Au mot « carrière », Lola éclata de rire et Julien ne
put s'empêcher de rire avec elle.

— Je pars pour Nancy, Julien. Un accident dans
une mine. Tu ne veux tout de même pas que
j'emmène le bébé dans ces galeries qui s'effondrent
dès qu'on éternue, au milieu des coups de grisou et du
râle des mourants ?

C'est seulement quand Lola eut refermé la porte
que Julien trouva la réponse : « Tu aurais pu attendre
le retour de Nancy pour divorcer !... » Il revint dans

243

la salle de bains. La petite fille léchait le savon qui avait glissé à terre.

— Orpheline à dix mois, fils-père à dix-huit ans, on est mal barrés, Liberté !...

Il ramassa le bébé, le déshabilla et le plongea dans l'eau avec lui. Liberté était aux anges. Après le bain, Julien enroula la petite fille dans une serviette et la déposa sur le lit de la chambre à coucher. A cet instant, on sonna à la porte d'entrée. Il alla ouvrir. C'était la voisine de palier, une brave dame, veuve d'un inspecteur du P.L.M., et qui autorisait Julien à se servir de son téléphone. Le seul dans l'immeuble.

— Votre beau-père vous demande, dit-elle.

Julien la suivit.

Gérald Lorrimer avait des problèmes et demanda à son beau-fils de passer le voir à l'étude.

— Impossible, répondit Julien. Ce matin, je suis fils-père. Mais je t'attends rue Jacob, si tu veux.

Après avoir raccroché, il remercia sa voisine, rentra chez lui, prit les deux valises dans le salon et les porta jusqu'à la chambre à coucher. Il rattrapa Liberté qui filait à quatre pattes vers la salle de bains, la jeta sur le lit, la talqua, la langea, l'habilla. Il s'était, à différentes reprises, déjà occupé du bébé et s'y prenait fort bien. Quand Gérald arriva, il trouva Julien et Liberté, assis sur la table de la cuisine, partageant une banane.

— Il y a un espion qui dort dans le salon, dit-il.

— Je sais, répondit Julien. J'ai prévenu le K.G.B.

Gérald réclama un verre de vin, puis une cigarette, puis une tasse de café. Il ne se décidait pas à parler.

— Allons, courage, dit finalement Julien. Déculotte-la, ta petite pensée.

— Eh bien voilà... Voilà...

Il semblait à Gérald que, s'il prononçait les mots fatidiques, une possibilité théorique allait devenir réalité.

— Charlie veut divorcer, dit Julien.

— Comment le sais-tu ? Elle te l'a dit ? demanda Gérald.

— Non. D'une part, les événements arrivent souvent groupés. Lola vient de m'annoncer son intention de divorcer ; un second divorce dans la famille, le même jour, me paraît logique. D'autre part, je connais Charlie. Elle a besoin d'action. Ses enfants n'habitent plus avec elle, il fallait qu'elle trouve quelque chose.

— Les Indes, dit Gérald.

— Les Indes ?

— Elle veut partir aux Indes et se retirer dans un monastère pour y étudier le bouddhisme. Elle dit que c'est un vieux rêve, brisé par ses mariages et son amour pour ses enfants, mais qu'il n'est pas trop tard. Elle dit qu'elle s'est sacrifiée avec joie, mais que vous êtes maintenant maîtres de vos destinées et que c'est son tour. Les Indes ! Elle aurait pu choisir Nice ou La Baule.

— Et toi ? Tu veux divorcer ?...

— Absolument pas.

— Tu es jeune, tu pourras te remarier, avoir des enfants, ce n'est pas un drame.

— C'est un drame ! protesta Gérald. C'est même typiquement un drame. Je ne veux pas d'autre femme dans ma vie et j'ai déjà élevé deux enfants, ça me suffit.

Julien jeta un coup d'œil vers Liberté, qui mâchonnait la peau de banane en faisant une grimace de dégoût.

— Je ne veux rien te promettre, dit-il à son beau-père, mais je crois que ton problème va se régler de lui-même d'ici peu de jours.

— Tu ne connais pas Charlie... Quand elle a décidé quelque chose...

— Je la connais... Fais-moi confiance, un événement inattendu se prépare auquel elle n'a pas songé.

Gérald, qui avait beaucoup de respect pour le jugement de son beau-fils, s'en alla, en partie rassuré.

Julien tournait dans la cuisine à la recherche de nourriture pour Liberté, quand il entendit des cris venant du salon. Il s'y précipita.

Pascal, assis sur le divan, se lamentait.

— Ça devait arriver !... Mais aussi jeune, je n'aurais jamais cru...

— Quoi ?

— Le *delirium tremens*... Je vois des bébés roses.

Il désignait du doigt, horrifié, Liberté qui longeait le mur à quatre pattes dans sa barboteuse rose.

— Les bébés, c'est moins grave que les éléphants, le rassura Julien. Au stade du bébé, le delirium se soigne encore très facilement.

— Peut-être qu'un bon café chassera ce bébé ? suggéra Pascal.

Il suivit Julien dans la cuisine.

— Je viens de réussir un coup fumant, dit-il. J'ai convaincu le Vatican d'engager Bing Crosby pour chanter, à Rome, la messe de Noël. Et j'ai reçu hier une réponse de l'imprésario de Crosby : il accepte !... Ça s'arrose.

Oubliant le café et les bébés roses, il se versa un verre de vin rouge.

André Solliès n'avait pas vu Julien d'une semaine et lui téléphona pour prendre de ses nouvelles. Il l'invita à dîner rue Lord-Byron. Le jeune homme lui manquait. Il souhaitait aussi le rencontrer pour une raison dont il ne voulait pas parler au téléphone.

Il ne parut pas surpris de le voir arriver avec un bébé sous le bras. Rien ne l'étonnait venant de Julien. On installa Liberté avec un paquet de biscuits et quelques jouets dans un parc ayant servi à la fille d'André Solliès, une dizaine d'années plus tôt.

Les deux amis parlèrent un moment et finalement André entraîna le jeune homme dans son bureau. Il ouvrit le tiroir d'un classeur fermé à clef, fouilla parmi les documents et en sortit une grande enveloppe. Il la tendit à Julien sans l'ouvrir.

Solliès avait une passion que Julien était un de ses seuls amis à connaître. Il aimait photographier les jeunes filles et les adolescentes. Sa collection de nus était tout à fait remarquable. Son talent de photographe et la qualité artistique de ses épreuves donnaient à la pornographie une autre dimension. Quelle que soit la position du sujet ou la partie du corps exposée, chacune de ses photos était un petit chef-d'œuvre d'imagination, de poésie et de libertinage. Pour la première fois, Solliès venait de tomber amoureux de l'un de ses modèles et désirait connaître l'opinion de Julien.

— Elle est étonnante, dit André. Je l'ai rencontrée il y a quinze jours, à l'audition du cours Simon.

La première photo que Julien tira au hasard de l'enveloppe était un six par six, noir et blanc. On y voyait une jeune fille assise sur un tapis persan, le front posé sur les genoux repliés. Les cheveux blonds coulaient en mèches désordonnées le long des mollets. Elle était nue et l'on ne pouvait pas voir son visage. La seconde photo était un très joli portrait fait à la lumière diffuse provenant d'une fenêtre. Mais Julien avait déjà reconnu le modèle. Elle était plus vieille d'un an mais n'avait pas changé. Il se, demanda depuis combien de temps elle était de retour à Paris.

— Evidemment, disait André, les photos ne donnent pas une idée très précise de sa façon de parler.

Il décrivit pour Julien ce qui le séduisait chez la jeune fille : son port de tête, sa démarche, « elle a fait beaucoup de danse classique », son insolence naturelle, « dans ce domaine elle pourrait être ta jumelle », son dialogue imaginé et très personnel, « ni vulgaire, ni conventionnel », sa façon de rire d'un rien, « et pourtant elle est loin d'être sotte », et enfin son talent, « elle est plus que douée... Une vraie nature ».

André ajouta que, durant la séance de photos, il n'avait même pas essayé de flirter avec elle.

— Elle est sublime, dit Julien.

André observa le jeune homme, cherchant à découvrir s'il était sincère ou se moquait de lui.

— Elle s'appelle Carmen Lefaur.

« Tiens, elle a changé son nom, pensa Julien. Elle a bien fait. Carmen Morin, c'est difficile à prononcer. »

— Veux-tu venir avec moi demain chez Simon ? demanda André. Elle passe Camille, de Musset.

— Volontiers, dit Julien. A quelle heure ?

— Rejoins-moi ici après le déjeuner. Mais pas trop tard.

Tandis qu'il attachait Liberté sur le siège arrière de la vieille et fidèle Pénélope, Julien se demanda pourquoi il avait caché à Solliès le fait qu'il connaissait Carmen. Il s'amusa à imaginer la surprise de son ami quand il découvrirait la vérité. Il n'avait pas deviné les sentiments réels de Solliès pour la jeune fille.

Cette nuit-là, il évoqua longuement le souvenir de Carmen. Il en éprouva du remords. Pour la première fois, il trompait Sophie par la pensée.

IV

Ernest Bidule et Liberté entamèrent leur concert avec un ensemble qui eût ravi Stravinski mais acheva de démoraliser Julien. Il s'était levé trois fois dans la nuit pour remplir le biberon et consoler la petite fille d'un mauvais rêve. Titubant de sommeil, il attrapa Liberté sous un bras, salua Ernest d'un signe de tête et s'en fut sous la douche ; il était nu et ouvrit le robinet, oubliant de déshabiller l'enfant qui, bien sûr, trouva le jeu très excitant.

Au cours du petit déjeuner, ils eurent leur première dispute. Liberté ne voulait pas son biberon mais le café au lait de Julien. Elle pleura, cria, tapa des poings, agita frénétiquement les jambes et cracha. Il lui dit qu'elle ne l'impressionnait pas, qu'elle pouvait aller se faire cuire un œuf et que, encore, il était poli par respect pour son sexe. Indignée du manque de fair-play de son oncle qui, pour se défendre, utilisait des mots contre des cris, elle lança le biberon dans la tasse de café au lait et marqua le point.

— Un à zéro, dit Julien. Mais tu ne perds rien pour attendre.

Ils se réconcilièrent dans la baignoire. Julien fit des bulles de savon et lui donna une leçon de natation. Elle lui tira les cheveux et l'embrassa.

Après le bain, il la déposa sur le pot. Elle le poursuivit de pièce en pièce, apparemment convaincue qu'elle disputait un parcours d'obstacles pour une finale de concours hippique.

Elle fit quelques façons pour s'habiller, refusant la robe bleue, la barboteuse mauve, la salopette en velours vert, se décidant en fin de compte pour un pantalon à rayures rouges et un blouson en imitation cuir. Julien lui trouva un goût déplorable mais décida que c'était son problème. Elle avait le temps d'apprendre.

En sortant pour la promenade, il réalisa qu'il lui était impossible de se rendre au cours Simon encombré d'un bébé. Il fut déçu et soulagé à la fois. Il avait peur de revoir Carmen et ce sentiment qui lui était si peu naturel le rendit perplexe. De chez la voisine, il téléphona à André Solliès pour se décommander.

Pénélope attendait devant la porte. Il attacha Liberté qui criait d'enthousiasme et se mit au volant.

Ils se promenèrent dans le jardin du Palais-Royal, donnèrent à manger aux pigeons et volèrent la balle d'un petit garçon qui avait refusé de jouer avec Liberté. Ils rencontrèrent Colette qui prenait le soleil sur un fauteuil roulant.

— Où avez-vous trouvé cette poupée à ressort ? demanda-t-elle.

— Un cadeau de ma sœur, dit Julien.

251

— Elle dit « maman » quand on lui presse sur le ventre ?

— Non. Quand on lui presse sur le ventre elle fait pipi.

Colette sourit.

— Comment va le scénario que vous écrivez pour Solliès ? Rappelez-moi le titre...

— *Les lauriers sont coupés.*

— *Les lauriers sont coupés,* c'est cela... Un joli titre.

— Le producteur n'a pas l'air d'apprécier mes idées, dit Julien.

— Alors ce doit être très bon.

A nouveau, elle rit.

— Ecrivez-vous, en ce moment, madame ?

— Un peu... Pas beaucoup... Ce qui me donne l'occasion de penser.

Liberté, que la conversation ennuyait, s'était mise debout en s'aidant des rayons de la roue. Soudain, elle lâcha prise et, sous le coup d'une inspiration subite, lança un pied en avant, puis l'autre, puis l'autre encore... Elle termina l'exercice sur le ventre.

— Eh ! cria Julien. Vous avez vu ?

— Mon Dieu, qu'y a-t-il ? demanda Colette. Elle s'est fait mal ?

— Elle marche ! Elle a fait son premier pas !... Enfin... ses trois premiers pas.

Julien ramassa Liberté. « C'est drôle, pensa-t-il. La vieille dame que les jambes ne portent plus, immobile sur sa chaise, et la petite fille qui vient d'apprendre à marcher. » Il eut l'impression que Colette avait lu sa pensée.

— Oui, dit-elle. Elle ne connaît pas son bonheur. On ne connaît jamais son bonheur. La meilleure façon, sans doute, de le protéger...

Julien savait que Colette adorait les sulfures. Elle en faisait collection et lui avait dit un jour :

— C'est la projection de la vie dans le cristal de l'imagination. L'enfant y voit ses fantaisies, l'adolescent ses folies, l'adulte son enfance et le vieillard la sagesse.

— J'ai pour vous un nouveau sulfure, lui annonça Julien. Je ne pensais pas vous rencontrer, sinon je l'aurais pris.

— Julien ! Je ne veux pas que vous dépensiez votre argent à faire des cadeaux aux vieilles dames. C'est une très mauvaise habitude.

— Mais je ne l'ai pas acheté, protesta Julien. Je l'ai volé.

— Alors je n'en veux pas ! Ils vont me jeter en prison pour recel !

Elle ne put s'empêcher de sourire.

— Je le déposerai chez votre concierge, dit-il.

— Non. Montez me voir. Le matin. Ou dans l'après-midi, après ma sieste.

Elle lui tapota la joue.

— Allez, maintenant... La poupée à ressort s'ennuie.

Tandis qu'il repartait vers la voiture, Liberté perchée sur ses épaules, Julien pensa que toutes les vieilles dames devraient être faites à l'image de Colette. « Quand je serai vieille, je veux être comme elle. » L'idée le fit rire.

— Tu ressembles à Sophie, dit-il à la petite fille. Tu ne me demandes jamais pourquoi je ris.

Arrivée rue Bonaparte, Pénélope tomba en panne d'essence. Il restait à Julien quelques bons, mais pas d'argent pour les utiliser. Il marcha jusqu'au Flore, espérant trouver un ami plus fortuné. Le sort ne lui fut pas favorable. Il demanda au garçon une feuille de papier et un crayon. Il écrivit : FILS PÈRE DANS LE BESOIN IMPLORE CHARITÉ. Il posa la feuille sur la table à côté d'une soucoupe et attendit. Liberté se montra à la hauteur de la situation. Elle sourit, aguicha, exposa ses gencives chaussées de quatre dents, séduisit tout le monde. Bientôt la soucoupe fut pleine.

— On tient la bonne combine, comme diraient les Pieds-Nickelés, murmura Julien à l'oreille de sa complice.

A la seconde soucoupe, ils avaient ramassé de quoi se payer cinq litres d'essence.

Sophie embrassa la petite fille et la serra dans ses bras, au bord des larmes. Julien comprit qu'il avait fait une erreur en venant avec le bébé. Sophie se cacha brusquement sous la couverture pour pleurer. Elle avait si souvent imaginé le bonheur de se promener au bras de Julien, leur petite fille ou leur petit garçon courant dans l'herbe devant eux... Elle eut soudain la certitude que l'opération n'allait pas réussir... Elle était morte... Elle était perdue...

Il la prit dans ses bras et l'embrassa longuement sur les joues, les yeux, la bouche... Elle finit par se calmer, mais Julien fut effrayé de l'infinie tristesse qu'exprimait son regard. Pour lui changer les idées, il parla du roman.

— Donne-le-moi. Solliès m'a promis de remettre le

manuscrit à Gaston Gallimard. Il lui demandera de le lire personnellement.

— Merci, dit Sophie. J'aime mieux être refusée par un homme intelligent que par une punaise de bureau.

A l'heure du goûter, Liberté et Sophie se disputèrent une brioche. Les nuages noirs s'éloignaient.

Plus tard la petite fille s'endormit sur le lit de Sophie qui n'osait plus bouger et parlait à voix basse. Elle la regarda longuement, caressant les cheveux blonds et soyeux.

— C'est si doux à toucher, dit-elle. C'est doux comme la vie, quand la vie est belle...

Ce fut au tour de Julien de retenir ses larmes. Sans raison, le rêve qu'il avait fait à Saint-Nom-la-Bretèche, plus d'un an auparavant, lui revint en mémoire. Sophie au volant de la vieille Renault et l'eau boueuse s'écoulant par les portières... Son visage, soudain, exprimait une telle angoisse que la jeune fille s'inquiéta :

— Qu'est-ce qu'il y a, Julien ?

— Rien, dit-il. Tu veux jouer aux échecs ?

Ils firent une partie et, pour la première fois, Sophie gagna.

— Tu l'as fait exprès, dit-elle.

— Je te jure que non.

— Sénilité précoce, conclut la jeune fille.

Liberté s'éveilla en pleurant.

Julien la prit dans ses bras, embrassa Sophie et s'en alla.

De sa vie il ne s'était senti aussi triste, aussi impuissant...

V

Lola trouva Julien et Liberté au lit, jouant aux échecs-basket ; la règle du jeu consistait à lancer ses pièces à la figure de l'adversaire. Celui qui en recevait une dans l'œil perdait.

— Le bruit court que tu utilises ma fille pour faire la manche dans la rue, dit-elle.

— Pas dans la rue, répondit Julien, indigné. Dans le temple de l'existentialisme... Au Flore.

Lola sauta tout habillée dans le lit et la partie d'échecs-basket se poursuivit à trois, ce qui compliqua d'autant le résultat. Chacun persuadé d'avoir gagné, on se retrouva dans la salle de bains. Julien se rasait, Liberté jetait les menus objets tombés à portée de sa main dans les toilettes et Lola se délassait dans la baignoire après les angoisses charbonnières des quatre derniers jours.

— J'ai photographié les veuves, les orphelins, les porions en deuil de leurs camarades. J'étais devenue une voyeuse de la douleur. J'avais l'impression de mettre en scène un film pornographique. Naturellement, à l'agence, ils ont adoré. Je crois que je vais changer de métier. Passe-moi le savon.

— Trop tard, il est dans les chiottes, répondit Julien.

— Nathalie ! cria Lola.

Un sourire radieux lui répondit.

— Tu as pourri cette vermine en moins d'une semaine... Bon. Ce qui est fait est fait, comme dirait Florence. Frotte-moi le dos avec le gant de crin.

Julien s'exécuta de bonne grâce.

— Sur les seins, vas-y doucement.

— Je tourne autour. Je frôle mais n'agresse pas.

Elle ferma les yeux, se laissa faire et se mit à roucouler.

— Tu me rappelles Ernest Bidule, dit Julien.

Un coup de tonnerre les fit sursauter : la chasse d'eau.

— Va voir si Nathalie n'est pas tombée dans le trou, dit Lola sans ouvrir les yeux.

— Non, dit Julien. Elle nettoie la cuvette au lait de concombre.

— Ça va, dit Lola. Continue...

Le gant de crin jouait à l'intérieur des cuisses et, de l'auriculaire, Julien frôlait le sexe.

— Tu pourrais au moins attendre que j'aie divorcé.

Elle ne savait pas que Julien s'exorcisait. Il essayait d'effacer Carmen.

— Qu'est-ce qu'on fait ? demanda Lola. On se marie ou on parle ?

— On parle.

Elle sortit de la baignoire. Il l'essuya, ils s'embrassèrent.

Liberté fonça et mordit de ses quatre incisives le mollet de sa mère.

— L'insecte est jaloux, dit Lola.

Dans la chambre à coucher, Julien changea Liberté tandis que Lola s'habillait.

— Tu as un plan, je pense ? demanda-t-il.

— Oui. Premièrement, cache ton truc. Tu es un peu indécent... Merci. Deuxièmement, qu'est-ce que tu crois ?

— Charlie.

— Oui... Saint-Nom-la-Bretèche... C'est le plus raisonnable. Nathalie adore sa grand-mère. Je serai là-bas souvent. Je coucherai ici quand j'aurai trop de travail...

— Et quand...

— Et quand...

Elle embrassa à nouveau son frère.

— Tu vas te faire mordre, dit-il.

— Il y a une autre solution, reprit-elle. Je t'engage, et je te paye pour t'occuper de Nathalie.

Julien, qui talquait le bébé, regarda sa sœur, un peu hébété. Il tenait Liberté par un pied, comme un lapin.

— Lâche la petite, dit Lola, ce n'est pas un gigot.

Il reposa l'enfant sur le lit.

— Ce ne serait que pour quelques mois, le temps que je fasse le point, ajouta-t-elle.

Lola, qui prenait ses décisions en l'espace d'une seconde, parlait toujours de « faire le point ».

— Je veux bien, dit Julien. Mais, si je la garde, je ne la rendrai jamais. Ni au père ni à la mère.

— Pas question.

— Alors Charlie.

— Alors Charlie...

C'est ainsi que les moines tibétains perdirent une

adepte et que Gérald Lorrimer conserva sa femme quelques années de plus.

Julien arriva vers 8 heures du soir rue Lord-Byron. (Par le métro. Pénélope était en panne de batterie et à fond d'essence.) Il sonna. Carmen ouvrit. Elle pâlit, porta sa main à la bouche. Il crut qu'elle allait vomir. Elle était très pâle et plus belle que jamais.

— Je viens remettre un manuscrit à M. Solliès, dit-il.

Carmen recula. Elle répéta : « Oh... Oh... » Elle dit :

— Entre...

— C'est Dauphin ? demanda Solliès.

— C'est Julien, cria Julien.

— Je t'attendais à 6 heures.

— Pénélope est tombée en panne.

Solliès descendit l'escalier, prit Julien dans ses bras, l'embrassa.

« Il l'aime autant que moi », pensa Carmen.

Lentement, elle reprenait couleur humaine.

— Je te présente Julien Versois. Le seul garçon dont tu pourrais tomber amoureuse si tu ne me connaissais pas, dit André Solliès en riant.

— Je le connais depuis un an et je suis toujours amoureuse de lui, répondit Carmen.

Elle était calme maintenant. Ses yeux brillaient, sa main accepta la main de Julien. Le jeune homme réalisa brusquement à la réaction d'André que le metteur en scène aimait Carmen. La panique l'emporta. Il perdit pied, rougit, s'attendant à une réaction violente. Comme André se taisait, il se dit qu'il allait payer, à froid, l'affront involontaire fait à son ami. C'était mal connaître cet homme généreux.

Solliès cacha sa surprise et sa déception.

— Je ne te savais pas si cachottier, dit-il simplement.

Il monta l'escalier. Les jeunes gens le suivirent. Carmen marchait à côté de Julien. Elle ne le toucha pas.

Dans le salon, Solliès versa à boire.

— Où l'as-tu rencontré ? demanda-t-il à Carmen.

— Au Lorientais.

Elle donna quelques détails sur cette soirée, mais ne parla pas de la dernière partie de la nuit, sur le sommier, entre Daniel et sa mère.

Solliès partit en cuisine pour superviser la bonne basque qui ratait régulièrement la paella.

Julien et Carmen restèrent debout, l'un en face de l'autre.

Elle lui prit les mains et les embrassa.

— Pas ici, dit-il.

Il lui donna un rapide baiser sur les lèvres et rejoignit Solliès dans la cuisine.

— Goûte, demanda le metteur en scène en lui tendant la cuillère de bois. Je rajoute du piment ?

— Oui. Passe-moi le sachet.

Julien assaisonna à son goût.

— Pourquoi ne m'as-tu pas dit que tu la connaissais ?

— Je ne sais pas.

On sonna à la porte d'entrée.

— J'y vais, dit Solliès.

Quand Julien retourna dans le salon, le metteur en scène le présenta à Claude Dauphin. En ce temps où

tous les Français prétendaient à l'héroïsme, rencontrer
un résistant authentique était un plaisir et une rareté.
Julien n'avait pas remarqué l'autre invité, vêtu de
noir, qui le regardait avec étonnement et s'écria :

— Vingt Dieux ! C'est le pyromane !

Il s'avança vers le garçon, le prit dans ses bras et
l'embrassa chaleureusement.

— Monsieur Lapra..., dit Julien avec la voix d'un
homme qui croise le fantôme de son arrière-grand-
père.

L'homme à la barbe blanche et aux cheveux blancs
ressemblait au professeur de septième du collège de
Thonon-les-Bains, mais en moins d'une décennie, il
avait vieilli de trente ans. Julien en éprouva un choc. Il
ne savait pas que Lapra, déporté à la fin de la guerre,
avait passé six mois à Auschwitz.

— Le bougre ! L'animal ! dit le vieil homme qui
riait et paraissait prêt à pleurer. Méfiez-vous, Solliès,
et vous aussi fillette, c'est un dangereux maniaque ! Je
l'ai subi dans ma classe... en 38 ?... 37 ?

— 1938, dit Julien.

Lapra prit le verre que lui tendait André.

— Nous avions deux filles dans la classe. Toujours
première et seconde. On les rangeait par ordre d'intelligence, à l'époque. Voilà notre poète, sans doute
excité par l'une des singesses, qui passe en une
semaine du dernier rang au premier banc... Mais les
filles ne l'aimaient pas. Elles le trouvaient bizarre. Il
leur avait raconté que l'âme était une émanation de la
sueur.

Carmen se mit à rire, suivie par Dauphin. Solliès
était un peu triste. Il sourit tout de même.

— La semaine d'après, poursuivit Lapra, le voilà

revenu au fond de la classe, à côté de son meilleur ami, le cancre de service, fils unique de braves charbonniers du comté de Vaud qui se saignaient aux quatre veines pour élever ce primate rétrograde. Votre Julien, qui me semble aujourd'hui bien parisien, rotait et pétait près du radiateur pour amuser son compère et les autres crétins.

Nouveau rire de Carmen.

— Mademoiselle, dit Lapra, nous ne sommes plus en septième, ni en 1938, ni en Haute-Savoie.

— Pardon, monsieur, dit-elle. C'est nerveux.

— J'étais moi-même assez nerveux. Avec ces sacripants, je les appelais parfois ces excréments (rire de Julien), j'avais recours à la baguette. Système éducatif plus symbolique qu'efficace. Jusqu'au jour où j'ai touché au cancre. Alors...

Lapra dirigea un doigt accusateur sur Julien.

— Alors... L'hybride, ici présent, s'est levé, m'a arraché la baguette et m'a tapé sur les bottes, mes bottes, messieurs, ces mêmes bottes que je porte avec fierté ce soir, en disant : « On ne lève pas la main sur les minorités. » Un garçon de dix ans qui me fait un cours de politique sur les minorités !... Je vous le demande ?... D'autant que cette minorité-là était suisse et profitait d'un change du franc très avantageux.

Cette fois, Solliès rit de bon cœur avec les autres.

— Cela dit, conclut Lapra, au premier rang ou au dernier rang, Julien était mon meilleur élève.

— Je ne vous le montrais pas, mais je vous aimais beaucoup.

— Me prends-tu pour un âne ? Je le savais très bien.

Un peu plus tard, devant la paella, Solliès demanda :

— Pourquoi l'avez-vous traité de pyromane ?

— Parce qu'il a mis le feu à mon immeuble.

— Comment ? demanda Carmen.

— Avec des allumettes.

— Vous voulez dire qu'il l'a fait exprès ?

— Eh oui, ma jeune amie. Je vous ai prévenue, cet ange est dangereux.

L'histoire remontait au mois d'octobre 1943. Gérald Lorrimer avait obtenu d'un groupe de résistants une carte de résident helvétique. Il ne pouvait se risquer en ville et Julien se chargea d'aller chercher à Thonon-les-Bains les faux papiers. Arrivé à l'adresse indiquée par son beau-père, il reconnut la maison de M. Lapra. C'était une bâtisse de trois étages dont le rez-de-chaussée servait d'entrepôt à un marchand de meubles. Julien s'engagea dans l'escalier quand il réalisa qu'il était tombé dans un guêpier. La maison, apparemment vidée de ces occupants, était pleine d'Allemands. Il rebroussa chemin et s'aperçut que l'entrée était surveillée par des soldats dissimulés de l'autre côté de la rue. Ce fut une boîte d'allumettes, perdue à terre, qui lui donna l'idée de mettre le feu au papier peint, en partie décollé, qui tapissait les murs, du rez-de-chaussée au grenier. L'immeuble était en bois et, la cage d'escalier faisant office de cheminée, le feu se propagea à une vitesse foudroyante. Julien se jeta dans un débarras où s'entassaient des balais, des serpillières, et un seau encore à moitié plein d'une eau savonneuse et putride. Dans l'escalier, c'était la débandade. Les Allemands criaient, hurlaient, fuyaient la maison comme des lapins. Julien pensa à la grange du hameau de L'Echelle. S'il existait une vie après la vie, François devait rigoler à voir les héros nazis détaler comme des pets sur une toile cirée. Il sentit la présence de son ami. Entendit son rire.

La chaleur était atroce et ses poumons s'emplissaient de fumée.

Il trempa une serpillière dans l'eau et s'en couvrit la tête. Il ne savait pas qu'il venait de sauver M. Lapra et sans doute l'existence du réseau. En effet, tandis qu'il mettait le feu aux murs, dans une pièce du second étage, des tortionnaires de la Gestapo s'employaient à faire parler Lapra pour lui arracher les noms de ses camarades. Aux cris de « *Feuer, Feuer !* » et réalisant que la maison flambait, ils s'enfuirent, oubliant dans leur précipitation le professeur et la pile de documents qu'ils avaient déjà réunis.

Julien sortit de son cagibi, au bord de l'asphyxie. M. Lapra ayant réussi, *in extremis*, à descendre l'escalier, l'aperçut. Il l'entraîna vers une porte qui menait à la cave. Là, une issue secrète prévue en cas de coup dur leur permit de rejoindre les caves adjacentes et ils s'enfuirent par les jardins.

Cette histoire en amena une autre. Claude Dauphin raconta, avec beaucoup d'humour, des anecdotes de l'Occupation et quelques actions d'éclat auxquelles il avait participé.

— Comment avez-vous été arrêté ? demanda Solliès à Lapra.

— Rien d'héroïque. J'ai été dénoncé.

— Décidément, il semble que dénoncer son voisin ait été le sport favori des Français pendant l'Occupation.

Il se tourna vers Dauphin.

— Claude, te souviens-tu du vieux Rémi Schwartz ? Le comptable. Il avait fait tous mes films, jusqu'en 40... Il était recherché par la Gestapo et je l'ai caché ici, quelques mois avant la Libération. Sylvie, ma fille, a fait un point de pleurite et je suis parti pour La Bourboule avec elle. Au retour, quatre semaines plus tard, pas de Schwartz. La Gestapo l'avait arrêté et envoyé à Drancy. J'ai été interrogé. J'ai dit qu'il s'était introduit chez moi par effraction, profitant de mon absence. Ils m'ont cru. Finalement, par la concierge, j'ai appris la vérité. Le vieux Rémi criait dans son sommeil et marchait de long en large autour de son lit, des nuits entières, réveillant Mme Legrand, la voisine du dessous. Pour dormir en paix, elle l'a dénoncé aux Allemands. Une lettre anonyme, bien sûr. Mais la concierge, en faisant le ménage, a retrouvé le brouillon dans la corbeille à papiers. Je la croise souvent dans l'ascenseur, Mme Legrand. Elle me demande toujours des places gratuites pour aller au cinéma. Je lui ai dit que j'avais donné les billets à Schwartz mais qu'il n'était pas rentré de Buchenwald. Je me demande si elle dort tranquille, finalement.

— Il faut la dénoncer ! s'écria Carmen, indignée.

— Dénoncer les dénonceurs ? dit Solliès. On dépeuplerait la France.

Il ajouta, un peu tristement :

— Bientôt tout cela sera oublié. C'est ce qui peut arriver de mieux.

M. Lapra parla avec beaucoup de retenue et de dignité de son séjour à Auschwitz. Lui, ne pourrait oublier. Carmen qui avait passé la guerre dans un cocon doré écoutait, fascinée et terrifiée. Elle se rap-

265

procha de Julien et lui prit la main, comme pour chercher protection.

M. Lapra séjournait à Paris pour s'occuper d'une association d'anciens déportés. Il aspirait à retrouver ses montagnes et son lac. D'heure en heure il semblait plus frêle, presque transparent. Julien eut l'impression qu'en soufflant il pourrait éteindre la flamme de vie qui l'animait encore.

Claude Dauphin travaillait pour le service cinématographique de l'armée américaine et disposait d'une jeep.

— Je vais raccompagner Lapra, dit-il.

Et se tournant vers Julien :

— Je peux vous déposer quelque part ?

Il ne savait que penser de la situation de Carmen. Etait-elle l'amie d'André ou de Julien ?

André, lui, souffrait. Il était deux fois jaloux. De l'attirance visible de Julien pour Carmen (que le garçon essayait, naïvement, de dissimuler) et de l'amour de la jeune fille pour l'adolescent. Solliès haïssait la jalousie. Il en avait honte. Il la méprisait. Il parvint à transcender ce sentiment si humain, si douloureux à dominer. Il regarda la tête blonde et la tête brune, les aima d'un même élan, leur accorda sa bénédiction.

Carmen adora la promenade en jeep.

— C'est comme le fiacre de maman, mais ça va plus vite.

Quand la voiture s'arrêta rue Jacob elle embrassa M. Lapra.

— Si j'avais eu un professeur comme vous, dit-elle, j'aurais aimé l'école.

Carmen ne mentait pas et Julien sut que le vieil homme était touché.

Lapra prit la main de l'élève frappeur et le regarda dans les yeux.

— Où en es-tu de tes études ?

— J'ai passé le bac en 44. J'ai eu de la chance, il n'y avait pas d'oral cette année-là.

— Ça ne t'aurait pas gêné. Pour embrouiller le monde, tu t'y connais... A propos, je ne fume pas, mais tout de même, merci pour le feu.

La jeep remontait la rue de Rennes, vers la gare Montparnasse (Lapra couchait chez des amis, boulevard Auguste-Blanqui).

— C'est un enfant hors du commun, dit-il à Dauphin. Je l'ai toujours su. Je suis heureux de ne pas m'être trompé.

— Solliès l'aime. Et Solliès, comme vous, se trompe rarement. J'ai été impressionné par sa façon d'écouter, sans juger. Qualité rare, à dix-huit ans. A tout âge, d'ailleurs.

— Oui. J'aimerais le suivre... Il va souffrir. C'est sûr. Je ne le reverrai plus. C'est sûr aussi.

— Ne déconne pas, Lapra. Tu vas nous enterrer.

— Pas à moi, Claude ! J'en ai pour un mois, en mettant les choses au mieux. Mais c'est bon. J'ai eu mon temps. J'en ai bavé mais j'ai gagné. Je ne pensais même pas mériter cette soirée. Le gosse m'a fait du bien. Il ira loin. Et je crois que je l'ai un peu aidé. Je ne laisse pas d'argent, mais je peux coucher un génie sur mon testament.

Claude Dauphin évita de justesse, place de Rennes, un camion militaire conduit par un soldat ivre.

— Eh, doucement, l'ami. Il ne me reste qu'un mois, mais j'y tiens, dit Lapra.

Carmen et Julien parlèrent longtemps. Dans le salon, dans la cuisine, dans la salle de bains, dans le lit.

Elle avait eu, très jeune, beaucoup d'amants mais ne savait pas ce que voulaient dire les mots : « être amoureuse ». Quand Julien, au matin, était parti sans lui parler, elle avait mordu sa mère qui ronflait. « Je lui ai mordu le nez. » Pas une chose à faire, bien sûr. « Mais j'étais jeune... » Ensuite, des disputes horribles, et qui durèrent plus de trois jours. « Quand elle m'a dit que je n'étais pas sa fille, mais la signature du diable plantée dans son ventre pour la perdre, j'ai compris qu'elle était folle. J'ai eu peur et je suis partie. Je me suis cachée chez une copine du cours de danse. Louise est morte vers 4 heures du matin et je ne l'ai appris que le lendemain à minuit. J'ai eu du remords, bien sûr, mais trop tard. Je ne peux même pas dire que j'étais triste. Je ne sentais rien. J'étais plate. Oui, c'est ça. Plate comme une feuille de papier sur laquelle on n'écrira jamais rien. Ensuite, on m'a expédiée chez ma grand-mère à La Roche-sur-Yon. Ecoute, tu ne vas pas me croire, je me suis remise à pisser au lit. Le docteur pensait que c'était la texture des draps de lin qui me rappelait ma prime enfance ; grand-mère disait que c'était les tisanes. Moi je pissais comme une folle. Et j'ai pensé que la seule façon de m'en tirer, c'était de faire quelque chose par moi-même. Comme je ne savais rien faire et que je ne voulais plus danser... » « Pourquoi ? » lui avait demandé Julien. « A cause de ma mère, j'imagine. Je ne pouvais plus retourner chez Boris, c'est tout. Alors j'ai pensé à toi et j'ai décidé d'être actrice. Je n'ai pas d'argent. Maman est morte noyée dans un bain de sang et de dettes. Mais j'ai des bijoux. Je les vends. Ça durera ce que ça durera... Arrivée à Paris, j'ai appelé Daniel Leclerc. Il m'a pistonnée et je suis entrée au cours Simon, sans examen. Il ne voulait plus coucher avec moi. Il a peur des fantômes et il imagine toujours Louise, blanche et transparente, alors. Il m'a dit : c'est pire. Ça va se mettre à sonner quand on va jouir. Il est marrant. Je l'aime bien. Je lui ai demandé s'il avait ton téléphone. Il a répondu que tu étais mort, écrasé par un autobus. « Tu l'as cru ? » avait demandé Julien. « Non... Mais c'est drôle, quand on aime vraiment on s'en fiche. Je savais que je te reverrais et que ce n'était pas à moi de décider du moment. Solliès a été très gentil. Quand il m'a fait les photos à poil je n'ai pas été gênée. C'était comme une tante qui vous prépare un bon goûter. Tu ris, bien sûr, moi aussi je devrais rire. Et pourtant, c'est vrai. Tu sais qu'il ne m'a jamais embrassée, sauf une fois, aux chevilles et aux pieds... C'était assez excitant d'ailleurs. Il écartait mes jambes et parlait à mes doigts de pied en pensant à mon sexe. Il ne m'a jamais caressée qu'avec son appareil de photo. Et toi, qu'est-ce que tu as fait ? » « Pas grand-chose » avait dit Julien.

Dans le lit, ils s'endormirent sans avoir fait l'amour. Un pacte mystérieux qui se passait de mots.

Le temps du mensonge commençait pour Julien.

VI

Ernest Bidule réveilla Julien au bleu polaire de l'aube. Le jeune homme se leva, porta quelques miettes au roucouleur et considéra la tête blonde qui reposait sur l'oreiller. Lavée du passé, protégée de la tyrannie des sens, en parenthèse de futur, l'endormie, habillée de la bulle fragile du mensonge, jouait à Cendrillon. « Son innocence est suspendue à mon souffle, pensa Julien. Je le retiens, elle demeure ange, ou fleur, ou nuage… J'éternue, la revoilà humaine. »

Il se recoucha près du corps très chaud, très nu et terriblement vivant. Les poussières de la conscience s'en allaient promener, mais la chair montait la garde. Il rejoignit ces quelques billions d'atomes, ces milliards de milliards de cellules, au pays de nulle part… Vers midi ils s'éveillèrent. Ils se retrouvèrent, se touchèrent, se découvrirent. Les mains, les jambes, les ventres, les sexes firent la guerre d'amour, les têtes tenaient les comptes et les encourageaient. Ce fut très

270

doux, très voluptueux et très rassurant. Un peu fatigant aussi.

— Ils ont l'air de se connaître bien, ces deux-là, dit Carmen parlant de son corps et du corps de Julien.

— Des voyous. Ils auraient pu nous demander notre avis.

— Ils sont jeunes, laisse-les s'amuser.

— On leur donne un doigt, ils se croient tout permis, dit Julien.

Il se glissa vers le bas du lit, écarta les jambes de Carmen. Regardant sévèrement le sexe ébouriffé, mal remis de sa course au plaisir, il lui dit :

— Tu décides, tu t'envoies en l'air, tu prends du bon temps, passe pour aujourd'hui... A l'avenir nous attendons de toi un peu plus de respect... D'accord ?... Très bien, tu es un bon garçon.

Il posa sa bouche sur les lèvres mouillées. Il aimait le goût de citron, très léger, et l'odeur dépaysante de bois des îles qui n'appartenait qu'à Carmen.

Ils prirent le bain ensemble.

Carmen se souvenait de la première nuit. Elle flotta sur Julien et posa sa tête sur son épaule.

— Je pleure, dit-elle.

— Où sont les larmes ?

— Je te dis que je pleure. Ça ne te suffit pas ? Il te faut des larmes par-dessus le marché ?

— Non. Je demandais ça à tout hasard, par habitude. Comme on demande l'addition au restaurant.

— Il y a deux façons de pleurer. Avec des larmes, quand on manque d'imagination, et sans larmes, quand on aime vraiment.

— To crocodile or not to crocodile, that is the question...

271

— And the winter of my discountant...

Ils rirent et décidèrent qu'ils étaient une jeune paire de vieux cabots.

Ils sortirent de la baignoire, se séchèrent mutuellement. Tandis que Carmen se coiffait devant la glace, Julien s'agenouilla et lui mordit les fesses.

— J'aime ça, dit Carmen, ça m'excite et ça me rassure. Mais c'est un peu vulgaire.

— Je sais. J'aime la vulgarité. C'est mon snobisme à moi.

— Il faudra que je m'y fasse.

— Si tu as l'intention de me revoir.

Elle se retourna brusquement.

Ils se regardèrent sans parler.

Carmen éclata de rire.

— Qu'est-ce qu'on va faire de tous ces points d'interrogation ?

— Un ragoût.

— Ça me donne faim.

Ils marchaient dans la rue.

— Je t'invite au Vieux-Paris, dit Julien.

— C'est bon ?

— Oui. Mais surtout c'est à crédit.

Un nuage passa dans le regard clair de la jeune fille. « Ah... Notre premier problème », pensa Julien.

Le déjeuner fut une partie de plaisir. Le chiche-kebab était bon, le riz, le yoghourt et le halva délicieux. Julien présenta Carmen à ses amis. Elle les séduisit.

— On dirait une chanson, dit Gréco.

— Cette menteuse est un délice, dit Boris Vian.

— Pas besoin de la dessiner, dit Cornette. Il n'y a qu'à la prendre et la signer.

Jean Denoël, lecteur chez Denoël, très troublé par Julien, aimait jouer les amoureux éconduits.

— Cette fois je renonce, dit-il. Mais quelle ravissante défaite !

Il embrassa Carmen.

— Appelez-moi quand vous le tromperez. J'irai le consoler.

Quand Julien signa l'addition, Carmen se mordit la lèvre. Les dettes lui faisaient peur. Une réaction, sans doute, à l'excessive prodigalité de Louise Morin.

— On va vendre Raymond, dit-elle. C'est un brillant... Un saint homme de brillant, bien nourri, gros et gras, un brillant faisant la chattemite et offert à ma mère par son premier amant. Dix-huit carats. De quoi vivre sans souci au moins un an.

Carmen parlait de leur avenir comme si le cours en eût été fixé d'avance. Elle ne demanda pas son avis à Julien. Ils s'aimaient, ils étaient destinés l'un à l'autre, ils allaient vivre ensemble. C'était aussi simple que cela. « Si je veux réagir, m'échapper du filet, c'est maintenant, pensa Julien. Sinon je suis foutu, empaqueté, ficelé. » Il voyait Sophie emportée par le courant d'une rivière. Elle passait devant lui, l'appelait au secours. Il essayait d'attraper son bras tendu mais n'y parvenait pas. Elle s'éloignait dans l'écume et les tourbillons en criant son nom. Il chassa cette image de son esprit. L'idée de vivre quelque temps avec une femme l'attirait et il considérait cette hypothèse comme une simple expérience. Après tout il avait le droit d'exister ! Partager une chambre avec une femme ce n'était pas le mariage... Si Sophie retrouvait l'usage de ses jambes et décidait de vivre, il l'épouserait. Son aventure avec Carmen était, en somme, une répétition. Il était à l'âge des expériences et Sophie n'exigeait pas l'exclusivité. Le raisonnement tenait, mais il pensa : « Je suis un bel hypocrite... » Ils marchèrent en silence. Carmen serrait fort la taille du garçon. Elle était heureuse.

— J'ai envie d'embrasser demain, dit-elle.

Les murs étaient couverts d'affiches recommandant le « oui » ou le « non » pour le référendum du 5 mai.

— « Oui » quoi ? demanda la jeune fille.

— Le « oui » est soutenu par la gauche. Ils veulent donner davantage de pouvoir à l'Assemblée nationale sur le gouvernement.

— « Non », c'est quoi ?

— D'après le centre et la droite, c'est conserver au gouvernement les moyens de mettre un peu d'ordre dans le désordre.

— Et De Gaulle, qu'est-ce qu'il vote ?

— « Non », j'imagine. Mais il n'a pas vraiment pris parti. Il se tient en réserve. Il attend qu'on soit dans la merde pour agir.

— Je croyais qu'on était dans la merde. C'est ce que disent les gens, en tout cas... Je n'entends que des Français qui râlent.

— Ils ont sans doute raison. L'inflation galope, le pouvoir d'achat s'effrite, on déclenche les rouages d'une guerre absurde en Indochine, l'Afrique du Nord s'agite... Apparemment, De Gaulle compte sur une merde plus spectaculaire.

— Si on s'embrassait, en attendant ?

Ils s'embrassèrent. Julien souleva la jupe et glissa sa main sous la culotte, sur les fesses rondes et fermes.

Une femme passait. Carmen dit d'une voix très douce :

— Je suis violée, madame. Pouvez-vous appeler la police ?

La femme poursuivit son chemin, haussant les épaules.

— Celle-là va voter « non », constata Carmen.

La jeune fille partageait une chambre, 64, rue du Cherche-Midi, avec une camarade du cours Simon. Julien l'aida à faire ses valises. Elle sortit de sa trousse de toilette un petit coffret de velours. Elle l'ouvrit et présenta « Raymond » à Julien. C'était un beau solitaire bleu, taillé en poire. Julien proposa de mettre le bijou au clou. Elle pourrait le vendre plus tard, s'ils avaient toujours besoin d'argent. Carmen trouva l'idée excellente.

— Tu as une preuve qu'il t'appartient ? demanda Julien.

— Oui. Un certificat du notaire.

Une heure plus tard, ils sortaient du mont-de-piété, rue des Francs-Bourgeois, le sac de Carmen bourré de billets de dix mille francs.

— On est riche ! cria-t-elle en lançant son sac en l'air. Qu'est-ce qu'on va faire, acheter la tour Eiffel ?

— Plutôt la Seine.

— D'accord. On fera payer les gens pour passer sur les ponts.

— On fera rouler Pénélope à la vodka, ajouta Julien.

— Pénélope ? Qui est-ce, celle-là ? demanda Carmen, soudain jalouse.

— Tu ne savais pas ? C'est ma voiture.

Carmen avait obtenu un prêt de quatre millions cinq cent mille francs sur le diamant. L'idée ne vint pas aux jeunes gens de s'ouvrir un compte en banque et ils cherchèrent une cachette dans l'appartement de la rue Jacob.

— Il faut éviter les pots de fleurs et l'envers des tableaux, dit Carmen. C'est ce que les cambrioleurs fouillent en priorité.

— Nous n'avons ni pot de fleurs ni tableau, fit remarquer Julien.

Ils se décidèrent pour une boîte de petits beurres Lu, en fer-blanc, qu'ils glissèrent dans un poste de radio hors d'usage, partiellement vidé de ses tripes.

Tandis que la jeune fille sortait ses vêtements des valises et les rangeait dans l'armoire, Julien demanda pourquoi elle avait changé son nom, Morin, en « Lefaur ».

— Pour faire peau neuve, fut la seule raison que donna Carmen.

Ils dînèrent d'un sandwich à la terrasse du Flore. Vers dix heures, en compagnie d'un jeune metteur en scène de théâtre, Michel de Ré, et de sa maîtresse qui était très américaine, très blonde et très charmante, ils se rendirent à la Rose Rouge, rue de la Harpe, où chantaient Francis Lemarque, Yves Robert et Catherine Sauvage.

A minuit, ils descendirent l'escalier du Tabou sur les marches duquel s'entassait la horde des troglodytes qui n'avaient pas trouvé de place aux tables. Daniel Leclerc les aperçut et leur fit signe de le rejoindre.

Carmen dansa non-stop. Julien l'invita pour quelques slows. Le rythme frénétique et les acrobaties du be-bop le fatiguaient. Il préférait regarder.

Pascal Cousin s'échoua vers 3 heures du matin, porté rue Dauphine par quelque lame de nuit, et parla avec enthousiasme de sa messe de Noël au Vatican. Son discours fut presque cohérent et Julien se demanda si l'Entrepreneur-en-désastres n'était pas en train de tomber gravement sérieux.

A la fin de la nuit, on s'insulta, de trottoir à trottoir, avec la bande de Corbassière. A l'instar des soldats de la Grèce antique, la veille d'une bataille, les deux groupes échangèrent invectives et menaces sur le mode lyrique. Dans la rue vide résonnaient les prédictions des plus atroces malheurs menaçant de frapper les traîtres et les délateurs pour leurs péchés innombrables ; de longues périodes, rappelant les ignobles vices et l'abjection d'une ascendance à peine digne du nom d'Homme, étaient censées couvrir de honte l'ennemi, elles le couvraient en fait du pipi que les riverains, réveillés et furieux, déversaient sur les têtes en vidant leur pot de chambre des fenêtres.

Pascal Cousin, très fort à ce jeu, tint noblement tête au redoutable Corbassière. Les armées se quittèrent au coin du boulevard Saint-Germain pour motif de shampooing.

Carmen et Julien firent l'amour à l'aube, au son d'un concerto interprété et dirigé par Ernest Bidule.

Carmen s'éveilla la première. Il était 15 h 30. Elle tapa du poing sur les côtes de son amant.

— Salaud ! Débaucheur ! Tu m'as fait manquer mon cours.

Elle décida de prévenir son partenaire qui l'attendait pour répéter l'Hermine d'Anouilh et se souvint que Julien n'avait pas le téléphone.

— Il faut demander une ligne, on ne peut pas vivre sans téléphone.

— Lola s'en est occupé. Ce n'est pas facile. Attente indéterminée.

« Avec le téléphone, j'étais foutu, pensa Julien. Sophie m'aurait déjà épinglé. » Il réalisa qu'il ne l'avait pas appelée depuis deux jours. Il se demanda si André avait remis le manuscrit à Gallimard. Il était furieux de se sentir coupable.

Après le « petit goûter-déjeuner », selon l'expression de Carmen, il annonça qu'il sortait.

— Où vas-tu ? demanda-t-elle.

Julien s'irrita de la question. Sophie ne lui demandait jamais ce qu'il faisait quand il la quittait.

— Je vais voir une copine qui est paralysée, dit-il.

— Tu es infirmier ? Je te croyais acteur.

Ce n'était qu'une boutade, mais Julien faillit répondre vertement. Il se contint, l'embrassa et sortit.

Carmen observa le désordre autour d'elle.

« On a de quoi se payer une femme de ménage », pensa-t-elle.

Elle décida d'acheter un pick-up et des disques pour faire la surprise à Julien quand il rentrerait.

VII

Julien arriva, inquiet, chez Sophie. Elle fut tendre, répéta qu'il lui avait affreusement manqué, qu'elle l'aimait, et ne fit pas d'autre allusion à son silence de deux jours.

Il raconta qu'il avait revu Carmen et fait l'amour avec elle, mais cacha le fait qu'elle était installée rue Jacob.

Ils s'embrassèrent, se caressèrent. Sophie se montra particulièrement inventive et gourmande. L'idée de Carmen la troublait. Elle effaçait sur le corps de son amant les plaisirs partagés avec l'autre femme. Julien ne trouvait pas déplaisant d'être l'objet de tant de ferveur. Il s'aperçut qu'il songeait à Carmen dans les bras de Sophie et à Sophie quand il faisait l'amour à Carmen. « Je suis le seul mec au monde qui arrive à se cocufier lui-même... » Cette idée l'amusa et lui déplut à la fois.

La veille, Michel de Ré avait proposé un rôle à Julien dans une pièce de Grabbe qu'il envisageait de monter. Le jeune homme en parla à Sophie et ajouta :

— Les répétitions auront lieu le soir.

Cette dernière phrase était un mensonge.

— Pourquoi ? demanda Sophie.

— Plusieurs des acteurs tournent dans la journée.

Vers 8 heures, il la quitta.

Elle ne posa pas de question, mais il jugea bon d'expliquer qu'il se rendait chez Michel de Ré pour une lecture à « l'italienne » de la pièce de Grabbe. « Si je commence à donner des détails sur mon emploi du temps, elle va trouver ça louche ». Julien réalisa qu'il se conduisait en coupable. Il décida d'y prendre garde à l'avenir.

Ils se dirent au revoir tendrement.

Carmen l'attendait allongée sur le canapé du salon, écoutant des chansons de Mouloudji. Julien applaudit à l'idée du tourne-disque.

Ils s'embrassèrent tendrement.

Ils se rendirent ensuite chez Michel de Ré.

L'enfant libertine s'était métamorphosée en femme d'intérieur appliquée.

Carmen changea les rideaux du salon et de la chambre à coucher, acheta un aspirateur, de la vaisselle, du linge de maison et donna des ordres précis à la femme de ménage. Elle n'était pas avare et ne demandait pas d'explication à Julien quand il puisait dans le coffre-radio mais se montrait économe, achetait aux meilleurs prix et tenait un livre de comptes.

En amour, elle s'imposait certaines règles. La fidélité d'abord, qu'elle exigeait d'elle-même et de son partenaire avec intransigeance. Certains jeux, certaines fantaisies, qui lui rappelaient le temps du quai d'Orléans, semblaient l'effrayer. Un jour que Julien lui faisait l'amour devant le miroir de l'armoire, dont la porte était ouverte, et qu'il lui demanda de se regarder, elle éclata en sanglots. Au demeurant, elle ne manquait pas de sensualité et faisait preuve d'un tempérament et d'une ardeur tout à fait exceptionnels. Mais avec Sophie, Julien n'était pas sevré de fantaisies érotiques. L'intellectuelle et la passionnée. En additionnant les qualités de Carmen et de Sophie, Julien s'était trouvé la maîtresse idéale.

Lola et André Solliès servaient souvent d'alibi à Julien. Néanmoins, son numéro de fil-de-fériste entre la rue Jacob et le quai d'Orléans lui pesait parfois. « Un jour je vais me faire prendre la main dans le sac. » Dans une certaine mesure, cette perspective le soulageait.

— Comment peut-on aimer deux femmes à la fois ? avait-il demandé à sa sœur.

— Deux yeux, deux oreilles, deux poumons, deux bras, deux testicules, deux jambes, deux femmes, c'est dans l'ordre de la nature...

Elle l'avait embrassé et avait ajouté :

— Si tu te lasses d'être bigame et décides de tâter de la trigamie, je t'offre mes services...

Julien se demanda si elle plaisantait. Avec Lola, impossible de savoir.

Cette existence insouciante et comblée (si l'on exceptait quelques instants de remords et de brèves angoisses dues à l'extrême complexité de son emploi du temps) n'était pas sans charme. Il ne s'ennuyait jamais. Bref, il était heureux.

L'ange affamé

La suite des événements allait prendre un tour moins plaisant. Gaston Gallimard retourna le manuscrit de Sophie en regrettant de ne pouvoir le publier.

VIII

Quand elle apprit la nouvelle, Sophie resta parfaitement immobile. « Une figure du musée Grévin », pensa le jeune homme. Et soudain, elle se mit à hurler ; un cri affolant de rage, de frustration, de haine viscérale pour la vie. Elle transforma en projectiles tous les objets à portée de ses mains et se lança dans un long monologue, chargé de fureur, d'ironie et de désespoir, un de ces monologues qui avaient toujours fasciné Julien.

Il l'écouta vider ses tripes, exhaler sa rancune, durant vingt minutes, et soudain lui plaqua la main sur la bouche !

— Je sais ! cria-t-il. J'ai trouvé ! Champagne ! C'est la fête ! Embrasse-moi !

Convaincue qu'il avait perdu la raison, Sophie se calma d'un coup.

— Crétin je suis ! Débile mental ! Abruti patenté !... J'aurais dû y penser depuis longtemps.

— Penser à quoi ? demanda-t-elle, presque aphone d'avoir tant hurlé.

— Tu n'es pas faite pour écrire des romans. Tu es un auteur dramatique ! Je te l'ai dit un jour : « Si tu pouvais écrire comme tu parles, tu serais un grand poète. » Mais j'aurais dû aller au bout de mon intuition, te convaincre de jeter à la corbeille ton roman et le reprendre sous forme de pièce de théâtre. Demain, je t'achète un magnétophone. Tu vas te mettre en transe, faire parler tes personnages, improviser et écrire ensuite le dialogue... Ça doit marcher ! Je sais que ça va marcher !

L'enthousiasme de Julien était communicatif et Sophie réfléchit sérieusement à cette proposition. Il ne lui laissa pas le temps de trouver les arguments logiques capables de remettre en cause son idée. De cinq heures à minuit, ils parlèrent de ce nouveau projet.

Mme Ségur leur servit le dîner dans la chambre.

— Mon Dieu ! dit soudain Sophie, tu as manqué ta répétition !

— Aucune importance. Ce qui compte, c'est la décision que tu as prise ce soir.

Il la quitta, réconfortée, vers deux heures du matin.

Rue Jacob, il trouva Carmen dans la cuisine, suçant un os de poulet.

— J'ai fait rôtir Ernest Bidule et je l'ai mangé, dit-elle. Ça t'apprendra à me tromper.

Julien décida de ne pas mentir.

— J'étais avec Sophie. Gallimard vient de refuser son roman. Je ne pouvais pas la laisser tomber. L'espoir de se faire éditer, c'est ce qui lui donnait encore le courage de vivre.

— Tu aurais pu appeler la voisine. Me faire prévenir que tu ne rentrais pas.

— Tu sais bien qu'elle s'endort avec les poules.

Carmen était parfois agacée du temps que Julien réservait à Sophie, mais n'éprouvait aucune jalousie à l'égard de la jeune femme. L'idée qu'il pût la tromper physiquement avec une infirme ne l'effleurait même pas. Elle sauta sur les genoux de Julien et accepta de pardonner en échange d'un baiser penaud et passionné.

— Le baiser penaud et passionné, même chez Dullin, on n'a pas appris, dit Julien.

Ils s'exercèrent au baiser penaud et passionné et se mirent à rire comme des fous. Ils n'avaient que dix-huit ans.

Sophie se mit sérieusement au travail. Elle conserva le thème et les personnages de son roman, changea les lieux, simplifia l'action. Suivant le conseil de Julien, elle improvisait son dialogue au magnétophone, le transcrivait, et ensuite seulement lui donnait sa forme. écrite. Julien l'aidait, lui suggérait certaines corrections mais se gardait, dans la mesure du possible, de l'influencer. Il trouva excellent le premier acte et qualifia certaines scènes de géniales. Solliès partagea son opinion.

Julien donna à lire, à Carmen, les trente premières pages.

— On croirait que le rôle de la fille est écrit pour moi, dit-elle.

— C'est vrai, reconnut Julien, tu ferais une excellente Muriel.

Ce même soir, sur la piste du Tabou, un partenaire maladroit marcha sur la jupe de Carmen, l'arrachant à moitié. Sous les rires et les applaudissements, Carmen traversa la cave et se réfugia dans les toilettes, avec Julien, pour remettre ses vêtements en ordre.

L'affaire dégénéra et ils firent l'amour, debout, contre un mur chargé d'inscriptions qui n'auraient pas déparé la façade de la Sorbonne en Mai 68. En remettant sa culotte, Carmen demanda Julien en mariage. Encore sous le charme de ce numéro d'acrobatie très intime, et passablement ivre, il trouva l'idée excellente.

— On pourrait se marier à Tahiti, suggéra-t-il.

— D'accord. On vend Raymond et on y va.

Le lendemain, elle lui porta le petit déjeuner au lit.

— Le café pour mon mari.

— Quel mari ?

La scène de la veille, au Tabou, lui revint brusquement en mémoire. Il céda à la panique mais réussit, courageusement, à sourire.

— Etre mariés n'oblige pas à avoir un enfant tout de suite, dit Carmen. Tu es bien d'accord ?

Julien trouva André Solliès dans sa loge, au studio de Boulogne.

— Horreur, désespoir et problème, dit-il.

Et il raconta que Carmen s'était mise en tête de se marier. La nouvelle fit beaucoup rire Solliès. Il finit par se calmer.

— Il me semble qu'il existe à ce problème une solution très simple. Tu refuses. Point.

— C'est plus compliqué que tu ne penses, André. D'une certaine façon je suis responsable du suicide de sa mère. En acceptant de vivre avec Carmen, je lui ai donné l'illusion de la sécurité, l'espoir d'un vrai foyer, d'un équilibre familial qu'elle n'a jamais connu. Si je refuse de me marier elle va croire que j'ai l'intention de la laisser tomber. Je ne peux pas lui faire ça.

— Et tu ne peux pas, non plus, laisser tomber Sophie ?

— Eh non...

— Donc tu es cuit ?

— Eh oui...

— Je ne vois qu'une solution. Gagne du temps.

— Comment ?

— Trouve une astuce. Tu es malin.

— Pas aussi malin que tu crois. Parfois je n'arrive pas à comprendre Carmen... Par exemple, elle a aimé faire des photos pour toi, les jambes aux quatre points cardinaux. Elle me l'a dit. Je trouve ça très bien. Mais trois jours plus tard, elle pleure quand on fait l'amour devant une glace et que je lui demande de regarder.

— C'est une actrice... Une exhibitionniste... Les unes exposent leur corps, les autres leur âme, on ne décidera jamais ce qui est le plus indécent. Bonnet blanc et blanc bonnet, comme dirait ta grand-mère... Carmen aimait me découvrir son sexe mais ne voulait pas que je la touche. Elle ne l'a pas dit mais je l'ai compris. Je n'ai pas essayé de flirter. Je la caressais de l'œil et de la caméra. Je l'ai vue jouir sans que je l'effleure. Devant la glace, quand tu lui fais l'amour, c'est différent, elle ne règne plus, elle est prise. Prise par sa mère, par les objets sexuels choisis par la mère. Elle s'en indigne d'autant plus qu'elle a aimé ça. Elle désire toujours le sexe de l'homme mais ne veut plus le voir dans le miroir de son passé. Pour se laver, non pas du remords ou du péché, mais du souvenir de sa mère, elle joue à la femme décente, à la femme fidèle. C'est la clef de son attitude : exhibitionniste avide d'émotions érotiques et pourtant puritaine. Que cela t'embrouille ne m'étonne pas. Il faut du temps pour apprendre ces choses. Crois-moi, si tu l'épouses, tu seras cocu après six mois...

— Cocu, ça me va, dit Julien. C'est être marié qui m'embête...

Un assistant frappa à la porte. On réclamait le metteur en scène au maquillage.

— Je vais te donner un tuyau, dit Solliès avant de quitter la loge. Explique-lui que tu ne peux pas te marier avant d'avoir fait ton service militaire.

Le conseil de Solliès se révéla excellent. Carmen trouvait romantique l'idée de prendre le nom de Julien avant son départ pour la caserne ou les colonies mais accepta ses raisons de bonne grâce.

Julien, bien décidé à ne pas faire son service militaire, jugea prudent de garder cette information provisoirement secrète.

IX

Carmen avait peur du sang. Elle s'affolait à la moindre coupure, appelait hémorragie un léger saignement de nez, convaincue de sa fin prochaine. A plusieurs reprises, durant la période de ses règles, elle avait rédigé son testament.

Elle était seule dans l'appartement de la rue Jacob et se cogna le nez au robinet du lavabo, en se lavant les cheveux. Elle s'aperçut avec horreur que le sang coulait. Elle attrapa un paquet entier de coton hydrophile qu'elle se colla sur le visage et courut chez la voisine.

Elle composait le numéro de Michel de Ré, afin d'appeler Julien au secours, quand elle se souvint que les répétitions de Grabbe étaient interrompues pour des raisons d'ordre financier. Elle réussit à joindre Solliès au studio après avoir paniqué le régisseur qui la crut en route pour la morgue. André n'avait pas vu Julien.

Elle se jeta frénétiquement sur l'annuaire du téléphone espérant trouver le numéro des Ségur. Julien passait parfois l'après-midi ou la soirée 14, quai d'Orléans, pour travailler à la pièce de théâtre avec

Sophie. Elle ne l'avait jamais importuné, mais c'était aujourd'hui une question de vie ou de mort.

Sophie roula son fauteuil jusqu'au téléphone et décrocha :

— Non, Julien n'est pas ici, dit-elle. Qui le demande ?

— Carmen.

Le cœur de Sophie cessa de battre.

— Il faut qu'il m'emmène chez le docteur, reprit la petite voix affolée. J'ai une hémorragie nasale... Allô ?... Allô... Vous m'entendez ?

Sophie retrouva finalement l'usage de la parole.

— S'il téléphone, ou s'il passe, je lui ferai le message...

— Je l'attends à l'appartement.

— A quelle adresse ?

— Rue Jacob. Chez nous.

Sophie fut prise d'une sorte d'étourdissement. Un cercle noir se refermait devant ses yeux.

— Ah, tiens, ça va mieux, s'écria la voix. Le sang ne coule plus... Mais ça pourrait reprendre... Si vous le voyez, dites lui bien que je l'attends !

Sophie dût faire un pénible effort pour se remettre à parler et cacher le tremblement de sa voix.

— Vous habitez rue Jacob ?

— Bien sûr...

— Depuis combien de temps ?

— Je ne sais pas... Deux mois, trois mois... Pourquoi me posez-vous cette question ?

— Je me demandais si vous connaissiez Lola...

— Oui. Elle est très sympa. Elle couche ici, de temps en temps... Excusez-moi de vous avoir dérangée. Vous n'oublierez pas le message ?

— Je n'oublierai pas...

— Merci.

Deux années plus tôt, un matin d'été, réalisant qu'elle était paralysée, Sophie avait éprouvé cette impression de fin du monde, de cauchemar éveillé. Aujourd'hui, c'était Julien... Son seul ami, son amant, son rire, sa vie... Julien, qui la trahissait. « Où s'arrêteront l'injustice et l'horreur ? »... pensa-t-elle.

Elisabeth tourna la clef dans la serrure. Dès qu'elle referma la porte, elle remarqua la pâleur de sa fille et lut l'angoisse et la peur dans ses yeux. Elle mit cela au compte de l'opération : Sophie partait pour l'hôpital le lendemain matin.

— Aide-moi à me coucher, maman...

Mme Ségur avait inventé une méthode astucieuse pour glisser Sophie du fauteuil au lit. Elle l'aida à sa toilette et lui demanda ce qu'elle désirait manger.

— Un repas léger, a dit le docteur.

Mais Sophie n'avait pas faim.

— Tout ira bien, ma chérie. J'ai prié... Garde confiance.

— Bien sûr... Je garde confiance, répondit Sophie.

Julien arriva quelques minutes plus tard. Il remarqua le visage défait de la jeune fille et crut, lui aussi, qu'elle avait peur de l'opération. Il l'embrassa. Les lèvres étaient mortes. Il ne trouvait rien à dire. Demain, sous les projecteurs de la salle d'opération, elle allait jouer sa vie. Comme au théâtre. Mais la frontière entre le rêve et la réalité avait perdu son charme. C'était un mur glacé que l'imagination ne modelait pas. Il se sentait bête, « plat » comme disait Carmen. Il prit dans ses mains la main de Sophie et regarda les toits par la fenêtre ouverte.

— Je voulais me donner une dernière chance, dit doucement Sophie. Je pensais que peut-être, avant mon départ pour l'hôpital, tu m'aurais parlé... Maintenant, je sais. Tu ne diras rien. Tu as pris racine dans le mensonge, comme le géranium de la cuisine dans son pot... Et moi, l'immobile, je n'ai plus le courage de mépriser, ou de haïr, pas même le courage de me fâcher... Je pense que tu faisais semblant, pour m'aider à respirer, à prolonger l'improlongeable, à flotter sur l'égout de ma vie... Si ce n'était pas seulement de la pitié, c'était peut-être une forme d'amour... Pourquoi as-tu menti, Julien ?

« Elle sait, pensa Julien. Ça devait arriver. Dommage et cruel que ce soit douze heures avant son opération... S'il existe un Dieu, ou ce qui en tient lieu, le moins qu'on puisse dire, c'est qu'il n'est ni tendre ni très délicat... Ce sont, sans doute, des qualités strictement humaines... Je n'ai pas d'excuse et je n'ai pas envie d'en inventer. » Il ne répondit pas. Ils restèrent longtemps silencieux. Elle laissa sa main dans les mains de Julien.

Et l'orage éclata. Imprévisible. Une vague de violence dévastatrice inouïe submergea brusquement la jeune fille. Elle s'y attendait encore moins que Julien. Elle agrippa les cheveux du garçon et frappa sa tête contre le bord du lit, à plusieurs reprises, et si violemment qu'il se mit à saigner de l'oreille, de la bouche et du nez. Elle rejeta draps et couvertures, remonta sa chemise aux épaules, écarta de ses mains les cuisses qui ne pouvaient prendre part à cette soudaine démence.

— C'est un con qu'il te fallait ? Prends-le ! Tu veux une putain ? Tu veux une bourgeoise ? Tu veux une salope dans ton lit ? Sers-toi ! Prix fixe, à la carte et plat du jour ! La maison fait crédit aux menteurs ! Baise, petit garçon ! Tu veux une maman ? Une petite femme ? Un trou pour ton jouet ? Vas-y, fais toi plaisir, le parc est ouvert. On accepte les pâtés de sable, on peut marcher sur la pelouse, pisser sur les fleurs ! N'aie pas peur, garçon, tu peux jouer à l'homme !

Julien trouva les jambes maigres de Sophie étrangement attirantes. La fureur qui l'habitait, loin de l'effrayer, donnait à ce corps schizophrène une beauté inattendue et unique. Il comprit qu'elle cherchait à détruire leur amour, ou plus précisément, son amour pour lui, en démystifiant le miracle.

— Tu veux baiser une morte ? Pourquoi pas ? Ça fera rire tes copains !...

« Pour une morte, elle est plutôt agitée », pensa Julien. Cette image l'amusa et, du coup, le rassura. Il se connaissait assez pour savoir que dans les situations extrêmes, son instinct le guidait fidèlement.

Il remit à plus tard l'analyse de la situation et déboutonna sa chemise. Il se défit de son pantalon, enleva ses chaussettes pour ne pas se sentir ridicule, et s'allongea sur Sophie. Elle ne parlait plus, ne bougeait plus. Il l'embrassa, attendit calmement que son sexe répondit à son intention et son désir. Ce qui ne tarda pas. Il la pénétra très tendrement, sans hâte, et fut surpris de jouir presque aussitôt. Il ne s'inquiéta pas, resta en elle et quand le corps reprit ses droits, lui fit l'amour longtemps. Sophie partagea son plaisir et cette noyade des sexes. La chair s'abandonnait et déjà rêvait aux lendemains. Mais l'esprit montait la garde : elle ne le savait pas encore mais n'allait jamais lui faire grâce de sa trahison. Sophie était femme. Le pardon n'est pas inscrit dans leurs gènes.

Le jour se levait et Julien réalisa qu'il n'avait pas prononcé un mot depuis son arrivée dans la chambre à coucher.

— Je t'aime, dit-il.

Il ne mentait pas.

A 8 heures, l'ambulance arriva.

Mme Ségur, Sophie et Julien partirent pour l'hôpital.

Sur l'ordre du Pr Armand, on laissa monter Mme Ségur avec sa fille, mais la réceptionniste arrêta Julien.

— Les visites sont à 10 heures, après les soins.

— Soyez gentille, laissez-moi passer. Je me ferai transparent... Je serai sage comme une image.

— Je ne vois aucune raison de changer le règlement pour vous, répondit sèchement la femme.

Julien sentit monter en lui la haine pour tous ces fonctionnaires que la moindre parcelle de pouvoir transformait en adjudants. « Sans les risques de guerre », ajouta-t-il pour lui-même.

— Avez-vous déjà été opérée ? demanda-t-il à la réceptionniste.

— Oui, monsieur. Deux fois !

— Pour connerie et méchanceté, sans doute. Apparemment ça n'a pas réussi.

Avant que la femme, furieuse, ait trouvé l'insulte appropriée, il lui tourna le dos et s'éloigna.

12, rue Jacob, Julien rencontra Léon Leroy qui sonnait à la porte de son appartement. Il ouvrit et le laissa entrer.

Léon avait mauvaise mine et semblait prématurément vieilli.

— J'ai besoin d'un café, dit Julien.

— Moi aussi.

Ils passèrent dans la cuisine.

Julien alluma le gaz, posa la bouilloire sur le feu, chercha les tasses, le miel, les biscottes, le beurre, et s'accouda à la table.

— L'amour est une chose bizarre, dit Léon. Où est Lola ?

— Je n'en sais rien.

— Puis-je voir sa chambre ?

Julien le conduisit jusqu'au lit qui n'avait pas été défait depuis plus d'une semaine. Léon se laissa tomber sur le ventre, prit l'oreiller dans ses bras et l'embrassa avec fougue. Il se releva.

— Je le garde...

Serrant l'oreiller sur sa poitrine, il repartit vers la cuisine.

— L'amour est une chose bizarre.

— Je sais, vous l'avez déjà dit.

Julien servit le café et beurra une biscotte qu'il tendit à son beau-frère.

— Mon cher Julien, dit soudain Léon comme s'il prenait la parole devant son conseil d'administration, je ne suis pas fait pour Lola, ni pour la France. J'ai tout vendu. Mes usines, mon appartement, le château d'Annecy et mon bonheur.

— Qu'est-ce qui a le plus rapporté ?

Léon se demanda s'il devait rire. Dans le doute, il s'en abstint.

— Maman prétend qu'un homme n'a pas le droit d'abandonner son enfant. Un bébé mâle, je m'y serais sans doute attaché. Une fille, ce n'est pas la même chose. Je vous le dis tout sec, Lola m'a convaincu que les femmes ne méritent aucun respect.

— C'est parfait. Vous retournez en Suisse avec maman. Où est le problème ?

— Pour des raisons d'ordre technique que vous pourriez comprendre mais que ma femme prétend ignorer, j'ai besoin de sa signature.

— Lola vous a parlé de mes dons de faussaire ? Vous voulez que je signe pour elle ?

— Il n'en est pas question. Je compte sur vous pour la ramener à la raison. Cette femme a perdu la tête. Savez-vous ce qu'elle a imaginé pour m'humilier ? Elle refuse mon argent. Je voulais régler notre contentieux à l'amiable, elle répond qu'elle ne veut pas de mon argent ! A la limite, je trouve ça... malhonnête.

Julien ne put s'empêcher de rire.

— Ce n'est pas drôle, je vous assure, poursuivit Léon. Elle dit que j'ai assez d'avocats pour s'occuper de mes affaires sans que je vienne l'embêter avec ces questions auxquelles elle ne comprend rien... Le problème, c'est que j'ai mis trois de mes usines à son nom... Si vous parvenez à la convaincre, il y aura quelque chose pour vous.

— Quoi ?

— Proposez-moi un prix...

— Mais je ne veux pas de votre argent, Léon.

Le malheureux était consterné. Ces gens qui refusaient son argent le démoralisaient.

Julien pensa à la petite fille qu'il aimait tendrement, aux batailles d'échecs, aux leçons de natation dans la baignoire. Il réalisa qu'il pouvait faire quelque chose pour elle.

— Lola signera vos papiers, dit-il. A une condition.

— J'écoute.

— La moitié de la somme provenant de la vente des trois usines en question sera déposée dans une banque suisse, au nom de Nathalie Leroy. Elle en disposera à sa majorité.

— Mais vous m'assassinez ! cria Léon.

— Je ne vous ai rien demandé, répondit Julien. Vous me proposez de proposer, j'ai proposé. A vous de décider si la proposition vous intéresse.

— J'accepte. Mais le couteau sur la gorge !

— Si vous n'aviez pas parlé avec autant de mépris de Liberté...

— Liberté ? Qui est-ce ?

— C'est le nom que j'ai donné à votre fille... Je me suis vu dans l'obligation de venger son honneur. Sinon, nous aurions traité à de bien meilleures conditions... pour vous.

— J'ai parlé sans réfléchir, Julien. Sous le coup de l'émotion. J'adore cette enfant, vous savez...

— Trop tard.

— Vous êtes un requin. Mais je vous l'ai dit. J'accepte. Indigné, mais j'accepte.

Il se leva.

— J'attends Lola chez M^e d'Harcourt, demain à quinze heures. Elle connaît l'adresse. Au revoir.

Il se dirigea vers la porte.

— Vous oubliez votre oreiller...

Léon hésita et finalement prit l'oreiller.

Julien ouvrit la fenêtre et se pencha pour observer Léon qui marchait dans la rue, très digne, l'oreiller sous le bras.

« Oui. L'amour est bizarre », pensa le jeune homme.

Il fut surpris de trouver Carmen au lit, dormant profondément. Il se souvint qu'elle s'endormait avec des boules Quiès dans les oreilles lorsqu'un problème la tourmentait « pour empêcher les idées noires de se glisser dans ma tête ». Il se déshabilla et s'allongea près d'elle, épuisé. Elle grogna et se blottit contre lui.

Julien s'éveilla vers une heure de l'après-midi. Il expliqua à Carmen qu'il avait passé la nuit à l'hôpital, près de Sophie. Elle ne fit pas de commentaire.

Après s'être douché, rasé et habillé, il l'accompagna en voiture au cours Simon. Avant de retourner à l'hôpital, il donna plusieurs coups de téléphone et réussit à joindre Lola dans le bureau parisien d'Associated Press. Il la mit au courant de son accord avec Léon. Elle accepta de se rendre au rendez-vous fixé pour le lendemain.

— Ne te laisse pas baratiner, dit Julien. Ils vont sûrement essayer d'obtenir de meilleures conditions.

— Ne t'inquiète pas. Je ne voulais pas de son argent, mais pour Nathalie, c'est différent. Je serai irréductible.

— Qu'est-ce que tu veux dire ?

— Je ne les laisserai pas réduire la somme d'argent revenant à ma fille.

Julien rit.

— Décidément, petit frère, tu es un génie.

Julien arriva à l'hôpital et trouva Elisabeth, assise, qui priait, chapelet en main. Sophie était en salle d'opération depuis trois heures. Quand on la ramena sur son brancard roulant, Julien la crut morte. Elle était blanche, le nez pincé, et ne semblait pas respirer. Mais l'infirmier assura que l'opération s'était bien passée.

Quelques minutes plus tard, le Pr Armand arriva à son tour. Il échangea quelques mots avec Mme Ségur et pria Julien de le suivre dans le couloir.

— Elle ne retrouvera jamais l'usage de ses jambes. Je suis désolé. Nous avons fait l'impossible.

Julien eut l'image de Sophie, au tribunal, dans le boxe des accusés. Le jury revenait dans la salle et donnait son verdict : coupable avec préméditation. Et Julien pensait « condamnée à perpétuité ».

— Dès qu'elle sera physiquement en état de supporter le choc, poursuivit le professeur, je le lui annoncerai.

— Peut-être vaudrait-il mieux que je m'en charge ? proposa Julien.

— Je le pense, dit le Pr Armand.

— A cinq heures, quand un infirmier pria Julien de partir, Sophie dormait toujours.

X

Le désespoir céda le pas à la douceur. « La mort est un état. Ils se battent tous pour être homme d'Etat, je serai femme d'Etat », pensa Sophie. Du Julien. Elle devenait très calée en formules et en humour julienesques. Son suicide ne serait pas un acte irréfléchi et passionnel mais une façon de s'endormir. Tels les enfants qui ont peur de la nuit et trouvent dans le sommeil un ami qui les comprend et les abrite. Elle ne possédait plus la dynamique intellectuelle, ni le courage d'assumer les fantaisies du passé. Restait à définir les modalités du passage d'un monde à l'autre. Le saut du réel au néant. La formule étant au choix de l'usager.

— Je vais mourir, dit-elle à Julien. Tiendras-tu ta promesse ?

— Bien obligé.

— Je t'ai aimé dans ma bouche et c'était généreux. Tu as joui entre mes jambes et me voilà transformée en bourgeoise inquiète et minable.

— Le bouche peut s'offrir le luxe du mensonge. Le con est pragmatique, il vit au jour la nuit.

— Qu'est-ce qu'on va faire ?

— Changer d'avis.

— Non... Je ne veux pas que mon père et ma mère croient au suicide. Ils sont trop catholiques, j'empoisonnerais la fin de leur vie. Il faut trouver une idée. Un accident ?

— Et si je t'épousais ?

Elle lui embrassa les mains.

— Merci... Merci, dit-elle.

Julien avait arrêté la voiture dans une allée du bois de Vincennes.

— Si tu ne veux pas m'aider, je sauterai par la fenêtre, ou dans la Seine. Mais j'aimerais mieux que tu sois près de moi. C'est un peu triste de mourir seule.

Julien réfléchit et proposa un plan.

— Je t'ai souvent amenée sur les berges de la Seine. Je pourrais faire une fausse manœuvre et basculer dans l'eau avec Pénélope.

— Et te noyer ! C'est trop dangereux.

— Me noyer ? Je nage comme un poisson. Aucun risque.

Elle l'embrassa.

— Demain ?

Le temps, ou plutôt l'absence de futur, arracha Julien au jardin de la fantaisie. Il avait usé tant de mots pour chercher à convaincre Sophie qu'insister lui sembla puéril et vain. Il savait qu'à sa place il agirait de même. Il accepta de lui offrir cette ultime preuve d'amour.

— Bien, dit-il. Demain.

D'un commun accord, et sans parler, ils se séparèrent pour la nuit.

Sophie corrigea le dernier acte de son manuscrit et parla longtemps de son père avec Elisabeth. Elle parvint à s'endormir vers deux heures du matin. Avant de perdre conscience, elle pensa : « Je m'endors pour le plaisir avant l'autre sommeil. »

Julien fit prévenir Carmen qu'il allait coucher à Saint-Nom-la-Bretèche. Charlie, Gérald, Lola et Liberté lui manquaient terriblement.

La soirée fut chaleureuse, plaisante et, comme toujours, un rien burlesque. La princesse avait séduit le secrétaire d'Etat au tourisme, un certain Arnold de Quissac, et s'apprêtait à partir avec lui pour Tahiti. Charlie, qui s'était finalement inscrite au parti communiste, s'indignait que le chef de cellule de Vaucresson interdît à sa femme de faire de la politique. Gérald, en froid avec Le Corbusier au sujet d'un plan d'urbanisme concernant la ville de Marseille, menaçait, une fois de plus, de s'engager dans les services secrets. Lola, très déprimée, prétendait que les hommes intelligents étaient par définition et nécessité impuissants. Et les autres sans intérêt.

— Et moi ? demanda Julien.

— Tu ne vaux pas mieux.

Il n'obtint pas d'autre éclaircissement.

Vers une heure du matin, Liberté éclata en sanglots. Sa mère partit la chercher. Quand la petite aperçut Julien, elle se jeta dans ses bras. Il ne fut plus question de la remettre au lit. Elle passa la nuit avec son oncle, bavant et mâchonnant, tourmentée par l'apparition d'une nouvelle dent. Trois fois ils se rendirent à la cuisine pour raison de biberon.

Le lendemain, vers dix heures, Lola trouva Julien qui disputait un bol de chocolat au lait à sa nièce.

— Tu sens mauvais, dit-elle à son frère. Tu devrais prendre un bain.

Elle ne comprit pas pourquoi cette suggestion le fit ricaner. Elle lui caressa les cheveux.

— Tu as des ennuis, dit-elle gentiment. Je l'ai remarqué hier soir, dès que je t'ai vu.

Elle savait qu'il ne parlerait pas et garda pour elle ses questions. Liberté renversa le bol et se mit à lécher le chocolat sur la table.

— Toi l'héritière, arrête tes conneries, dit Lola.

Elle prit sa fille sous le bras et l'emporta vers la salle de bains.

Julien arriva quai d'Orléans à la tombée de la nuit. Il était très ivre. Sophie l'attendait. Il poussa le fauteuil vers l'ascenseur, ouvrit la porte et se glissa dans la cabine derrière elle.

Au rez-de-chaussée, Mme Lemoigne, la concierge, les arrêta.

— L'homme du recensement est passé cet après-midi. Je vous ai marqué pour trois.

Julien et Sophie éclatèrent de rire.

— Je sais, dit Mme Lemoigne. Ces recensements, ça ne rime pas à grand-chose...

— Mais si, madame, dit Julien, Ça rime... ça rime...

— Ça rime avec pourquoi, dit Sophie.

— Ça rime avec qui sait, dit Julien.

— Ça rime pour faire plaisir...

« Ah, ces jeunes, pensa Mme Lemoigne, ils se moquent de tout. »

Julien porta Sophie dans ses bras jusqu'à la voiture.

— Je te pose derrière ou devant ? demanda-t-il.

— Devant. Si l'envie me prenait de t'embrasser sous l'eau ?

La voiture roula quai Voltaire et piqua vers la berge avant le pont du Palais-Royal.

Sophie chantonnait :

> *Dans une vieille caisse en bois*
> *Qui vient de Samoa*
> *Je vais faire un trois-mâts...*

Julien freina, fit une marche arrière et stoppa la voiture, le pied gauche appuyé sur la pédale d'embrayage.

— Je suis ivre. Mais je suis prêt. Tu vois une dernière phrase genre « Je m'en vais ou je m'en vas, l'un et l'autre se disent ou se dit » ?

— Je t'aime, Julien.

— Je t'aime, Sophie... ça m'écorche la glotte de te le dire en pensant que tu seras verte, gonflée et dans le journal demain matin.

— Embrasse-moi.

Ils s'embrassèrent.

La langue douce, tendre et qui soudain se durcit, imperméable à la mort, cherchant l'autre langue, sa sœur de toujours, cette langue qui criait la vie, modifia d'une virgule le questionnaire du destin. A l'image du papillon de Till Eulenspiegel qui se pose sur un brin de paille et déclenche une catastrophe, cette langue gourmande changea le cours de deux existences. Julien refusa le malheur de l'esprit et donna sa confiance à la chair. La chair de Sophie qui ne se savait pas condamnée et se plaisait au baiser. Un schéma électrique dans le lobe pariétal du cerveau de Julien bouleversa sa conscience. L'ivresse bousculait la logique.

« Elle vivra... » pensa Julien. Pour échapper au piège et quitter les bords de la Seine, il lâcha la pédale du frein et appuya de toutes ses forces sur l'accélérateur.

Mais il était saoul. Il avait oublié que le levier de vitesse était enclenché sur la marche arrière. La vieille Renault cria sur ses pneus et bascula dans la Seine. La fenêtre, en partie ouverte, invitait l'eau boueuse et glacée. Julien ne chercha pas à fuir cette trappe mortelle, il pensa d'abord à Sophie. De sa main droite il agrippa le poignet de la jeune fille et de l'autre essaya d'ouvrir la portière. La voiture n'avait pas touché le fond mais la pression était déjà trop forte. La vitre, aux deux tiers remontée, les gardait prisonniers. Il trouva la manivelle et tourna. « Dans le mauvais sens, bien sûr », pensa-t-il. C'était le bon sens. Il respirait toujours mais la tête de Sophie était sous l'eau. Il lâcha la main de la jeune fille, la saisit par les cheveux et tira le corps derrière lui. Il passa par la fenêtre et nagea vers la surface. Il ne put retenir jusqu'au bout sa respiration. Les poumons envahis d'eau, il entendit une voix : « Je n'y vais pas. Maman n'aime pas l'eau. Papa s'est noyé dans le Doubs. » Une autre voix : « On n'est pas des héros. J'ai fait Verdun, ça me suffit. » Puis une voix de femme : « Voilà ce que c'est que d'avoir une bagnole... » « Ces vaches de clodos, pensa Julien, ils vont me laisser crever. » Il tenait toujours

Sophie par les cheveux. Il n'y voyait plus et nageait en direction des voix. Il se cogna au mur de la berge qu'il longea dans le sens du courant. Il sentit une marche sous ses pieds et tira Sophie hors de l'eau. Il voulut parler, en fut incapable. Il cracha et toussa. Il entendit la femme qui répétait : « Faut appeler. » Et les autres : « Appeler quoi ? Appeler où ? Appeler qui ? T'as un téléphone dans ton falzar, par hasard, Germaine ? » « La gosse va mourir. » « Elle va pas mourir, elle est morte. Tu sais plus reconnaître un bon chrétien d'un macchabée ? »

Julien réussit à se lever. Il courut en trébuchant jusqu'au quai Voltaire et fit signe à une voiture qui approchait. « Le salopard ne va pas s'arrêter », se dit-il. Il avait tort. La voiture s'arrêta et le conducteur lui demanda s'il avait pris sa douche tout habillé ou s'il était tombé dans la Seine.

Sophie avait pris de façon réfléchie la décision de mourir. Elle espérait que l'instinct de conservation et la panique des ultimes secondes n'allaient pas donner au corps le pas sur l'esprit. Quand Pénélope bascula du cul dans le fleuve et que l'eau sale et glacée s'engouffra par la fenêtre, elle eut très peur. Elle parvint à se dominer, se pencha sur le siège et aspira le liquide boueux par les narines et la bouche. Elle avait lu que la mort par immersion, si l'on ne se débattait pas, pouvait être voluptueuse. On perdait conscience au son lointain des cloches. Elle fut déçue. Le nez, la gorge et les poumons brûlaient atrocement. Pas la moindre cloche… mais d'horribles tortionnaires trituraient son corps. Dieu se moquait d'elle, ou la punissait. Tout était noir, froid, cruel, douloureux et dénué de sens... On disait aussi qu'à l'instant de la mort on revoyait sa vie, comme un film projeté en accéléré. Elle n'eut pas droit à cette anthologie de moments choisis et passa de la souffrance à l'oubli, sans aide et sans compassion. Ses dernières pensées furent pour Julien : « Est-ce que je désirais, inconsciemment, qu'il meure avec moi ? » Elle en éprouva du remords, espéra qu'il s'était échappé de la voiture.

Après le néant, quand la conscience revint, ce fut la paix. Elle flottait dans un espace sans frontières, enveloppée d'une matière éthérée plus dense que l'air, plus fluide que l'eau. Elle ne voyait pas son corps mais savait qu'il existait. Elle pouvait bouger ses jambes et la joie pénétra son âme. C'est alors qu'elle aperçut Sophie, étendue, sans vie, sur les pavés de la berge. Trois hommes et une femme, des clochards, se penchaient sur le corps de la noyée. Julien, agenouillé, criait quelque chose, mais elle ne percevait pas le son de sa voix. Il se leva et marcha en titubant vers le quai supérieur. Elle se disait « Je rêve » et pourtant savait qu'elle ne rêvait pas. L'étrangeté de la scène ne l'effrayait pas. Elle se souvint de ce phénomène de dédoublement dont lui avait parlé Julien et au sujet duquel ils s'étaient souvent interrogés, incapables d'arriver à une explication rationnelle. Elle se demanda où était passée son âme durant l'hiatus de temps qui avait suivi la perte de conscience et précédé le « réveil ». « Comment puis-je penser sans un corps ? » Mais elle possédait un corps, après tout, puisqu'elle pouvait voir et, dans une certaine mesure, se transporter à sa volonté dans l'espace. De quoi donc était fait ce corps qui lui donnait la sensation du mouvement ? Elle vit Julien revenir près de la jeune fille blanche et inerte qui était elle. Il se pencha et posa ses lèvres sur les lèvres sans vie. « Il m'embrasse. » Elle réalisa alors qu'il lui faisait le bouche-à-bouche, espérant la ranimer. Et l'ambulance, de police-secours arriva sur le quai. Les événements se télescopaient, parfois même se superposaient. Elle observait avec attention l'infirmier qui plaçait un masque à oxygène sur son visage lorsqu'elle vit le tunnel. « Tunnel » fut le mot qui lui vint à l'esprit, c'était plutôt un trou dans l'espace et le temps, à l'extrémité duquel une vive lueur l'attirait, l'aspirait avec force mais sans contrainte physique. Elle échoua sur la grève d'un fleuve dont le courant allait « vers le haut ». Il y avait autour d'elle des rochers, des buissons et des fleurs de formes variées... Pas de couleurs. Elle réalisa alors qu'elle pouvait créer la couleur par la pensée. Et tout devint d'une beauté inouïe. Une présence amicale, généreuse et tendre lui « dit » de ne pas avoir peur. Elle se sentit submergée par une vague d'amour et crut qu'elle allait pleurer de bonheur. Il lui sembla voir des ombres, deviner de vagues silhouettes qui existaient sans se matérialiser. Elle éprouva la présence d'amis oubliés, d'enfants et de vieillards qui, tous, cherchaient à l'aider. Il y avait la vie dans ce monde au-delà de la vie, beaucoup de noblesse et le pardon des crimes. Elle reçut un message : « Ce n'est pas encore le temps... Tu vas nous quitter, mais nous t'attendrons. »

Sans transition, elle quitta le monde d'après, le monde du toujours, pour le rêve de la chair. Elle s'éveilla dans l'ambulance et vit le visage d'un infirmier penché sur elle.

— Elle est revenue, dit l'homme.

XI

Cette expérience étrange modifia radicalement l'attitude de Sophie et son comportement envers ses amis, sa famille et les gens qu'elle allait rencontrer. Elle devint consciente de l'importance relative de son corps physique et de la force de l'esprit. Mais elle ne succomba pas au confort de la religion ni aux mystiques variées des amateurs d'Au-delà. Au contraire, la vie lui apparut plus précieuse. Elle accepta son infirmité, et n'éprouva plus de gêne à se rendre sur son fauteuil roulant dans les lieux publics. Elle se remit avec joie et ferveur au travail.

Deux semaines après sa noyade manquée, elle écrivait le mot RIDEAU au bas de la dernière page de son manuscrit.

Le contact de la mort lui rendit la paix de l'esprit. Elle n'envisagea plus jamais d'attenter à sa vie, même à l'occasion de brèves crises de découragement, quand le doute et l'angoisse refaisaient surface.

Julien fut la seule personne à qui elle parla de son expérience.

Cette sagesse nouvelle lui permit de ne pas dévier d'une ligne de conduite qu'elle s'était imposée en apprenant, par le Pr Armand, que ses jambes étaient mortes à jamais. Elle ne ferait plus l'amour avec Julien. Décision qui, d'ailleurs, avait fortement contribué à l'idée du suicide.

Tant qu'ils avaient joué, elle s'était montrée assez forte pour partager Julien avec les femmes du dehors. La nuit qui précéda l'opération, ils avaient tué le jeu en devenant amant et maîtresse. Elle n'avait pu, de cet instant, l'imaginer dans d'autres bras. Elle savait qu'il était trop jeune pour finir sa vie avec une infirme. Peut-être se trompait-elle, mais elle ne voulut pas prendre ce risque. Sa détermination de garder un ami et d'oublier l'amant fut pourtant généreuse. Elle pensa davantage à Julien qu'à elle-même. Elle ouvrit la cage à l'oiseau.

L'oiseau souffrit. Voler ne l'amusait plus. Il avoua à Carmen qu'il était l'amant de Sophie depuis plusieurs mois. Elle ne pleura pas, ne fit pas de scène, mais quitta l'appartement de la rue Jacob quelques jours plus tard. Elle lui dit qu'elle était toujours amoureuse, qu'elle avait pardonné mais ne pouvait oublier. Le charme était rompu ; le rêve au présent, souillé du passé. Réaliste, elle refusa d'affronter le cancer de la jalousie, ses misères et sa laideur.

Julien avait en main, depuis plusieurs semaines, le manuscrit de Sophie. Il tira la sonnette de tous les théâtres parisiens. On se montra aimable ou impatient, parfois on l'encouragea, la réponse cependant ne variait pas : « Ce n'est pas ce qu'il nous faut pour l'instant. » Découragé, il se confia à Daniel Leclerc qui lut la pièce, l'aima, et proposa à son ami de l'aider. Ce qu'un jeune inconnu ne pouvait réussir fut, pour un acteur en pleine gloire, relativement aisé. Le directeur du Vieux-Colombier se laissa convaincre.

Quand Daniel, en compagnie de Julien, arriva quai d'Orléans pour apprendre la bonne nouvelle à Sophie, il succomba aussitôt au charme de la jeune fille.

— Il est bien entendu, dit-elle, que Julien mettra en scène.

Cette demande risquait de compromettre l'accord passé avec le directeur mais Sophie se montra, sur ce point, intransigeante.

Daniel retourna au Vieux-Colombier et gagna cette seconde bataille. Son attitude généreuse impressionna Sophie. Ils devinrent grands amis.

Le personnage central de la pièce de Sophie Ségur était une jeune fille de dix-huit ans, sensuelle et naïve, tourmentée, impudique, agressive. Les auditions se succédèrent. L'oiseau rare restait introuvable. Ce fut Sophie qui mentionna le nom de Carmen. Julien avoua qu'il la trouvait parfaite pour le rôle de Muriel. Personne ne saurait mieux servir la pièce.

— Toujours aussi élégant, fut le commentaire sarcastique de Sophie. Qu'est-ce que tu attends pour la convoquer ?

Les répétitions entre deux femmes qui l'aimaient encore et qu'il aimait toujours demeura la période la plus étrange et la plus douloureuse de la vie de Julien. Il ne se plaignit pas, ne chercha pas l'évasion dans l'alcool et ne fit l'amour qu'une fois avec une jeune fille qui collait des affiches et qui lui parla toute la nuit de socialisme et du nouveau gouvernement de Léon Blum.

L'ange affamé

Il passa quelques soirées animées en famille, à Saint-Nom-la-Bretèche, et dans le quartier, avec ses amis. Il vit souvent André Solliès qui respectait sa pudeur et ne lui posa pas de questions sur ses aberrations sentimentales.

Fort heureusement, son travail le passionnait. Il avait trouvé sa voie. Il se souvint d'une phrase de Charles Dullin : « Eh bien, Julien, il semble que le théâtre ait hérité d'un metteur en scène. »

XII

Quand le rideau tomba sur la fin du premier acte, Carmen Lefaur sut qu'elle avait conquis la salle. « Je suis une actrice », pensa-t-elle. Les découragements, les peines et les ennuis personnels des dernières semaines furent effacés d'un coup. « Je vais être célèbre, je vais être heureuse. » Etrange, cette impression d'être enfin soi-même en assumant une autre identité. En regagnant sa loge pour le changement du deux, elle passa devant Sophie Ségur qui l'applaudit silencieusement.

Daniel Leclerc avait passé un bras autour des épaules de la jeune fille assise sur son fauteuil roulant et qui, des coulisses, assistait à la représentation générale de sa pièce.

— C'est gagné, lui dit-il.

Bien qu'il ne fît pas partie de la distribution, il avait l'impression de partager avec l'auteur et le reste de la troupe les applaudissements chaleureux qui venaient de la salle. « Oui, c'est gagné, se dit Sophie. Je leur parle, ils m'écoutent, ils me comprennent. Ce soir, je ne quitterai pas le théâtre sur mon fauteuil mais dans le cœur de trois cents spectateurs. » Elle se demanda pourquoi Julien s'était éclipsé dès le lever du rideau.

— Il soigne sa trouille au whisky, dit Daniel. Il avait le trac pour toi et pour Carmen.

En pénétrant dans le club du Vieux-Colombier, Pascal Cousin aperçut Julien, seul, au bar.

— Eh, l'Ame-en-peine !...

Julien fut heureux de retrouver son camarade. Ce soir, il avait besoin de compagnie, mais sa famille et la plupart de ses amis étaient dans la salle. Il avait l'estomac noué. Un mois de répétitions, c'était tout ce que le directeur du théâtre leur avait accordé, et ce n'était pas suffisant. Malgré son tempérament et des dons exceptionnels, Carmen manquait d'expérience. Face au public sans pitié d'une première, allait-elle tenir le coup ? Le spectacle reposait sur ses épaules et c'est délibérément que Julien avait quitté le plateau. Il ne voulait pas qu'elle s'accroche à lui comme un enfant à la jupe de sa mère, le premier jour d'école. Elle devait, seule, affronter les spectateurs.

Et la pièce ? Etait-elle aussi bonne qu'il le pensait ? Ne manquait-il pas d'objectivité, troublé dans son jugement par les sentiments qu'il portait à Sophie ? Oui. Il avait peur. Mais pas pour lui. Un bide, ce soir, il s'en remettrait. Il redoutait que Sophie et Carmen n'en fussent dramatiquement affectées.

— Je te croyais à Rome, dit-il à Pascal.

— Plus de Bing Crosby. Le Vatican a annulé le voyage.

— Pourquoi ?

— Une lettre anonyme. Quelqu'un a découpé

l'annonce de son divorce, paru dans un journal américain, et l'a envoyé au Vatican. Un chrétien divorcé ne
peut pas chanter la messe pour le pape.

— Tu es déçu ?

— Un peu. Mais quand j'ai envoyé la lettre, je me
doutais bien qu'ils demanderaient à Crosby de rester
chez lui.

Julien se mit à rire et réalisa soudain que Pascal ne
plaisantait pas.

— Tu as vraiment envoyé cette lettre ?

— Oui.

— Pourquoi ?

— Je n'ai pas pu résister.

L'Entrepreneur-en-désastres s'était montré, une
fois de plus, à la hauteur de sa réputation.

Le régisseur de plateau arriva au club en courant.

— Viens, dit-il à Julien. Le rideau tombe dans trois
minutes. Ne t'inquiète pas. C'est déjà un triomphe.

André Solliès applaudissait à tout rompre avec le
reste de la salle. Charlie pleurait. Gérald se souvenait
du garçon en culotte courte, partant en vélo pour
Thonon-les-Bains lui chercher de faux papiers d'identité. Il y avait de cela cinq ans. « Il n'a pas perdu de
temps », pensa-t-il.

Au sixième rappel, on réclama l'auteur. La jeune
fille très émue et très belle qui s'avança vers la rampe
sur son fauteuil roulant décupla l'enthousiasme des
spectateurs. Les flashs crépitaient. Au dixième rappel,
il n'y avait plus en scène que Sophie et Carmen. Julien,
poussé par Daniel Leclerc, les rejoignit et s'inclina vers le
public entre les deux héroïnes de la soirée.

On avait dressé un buffet-bar dans le décor. Les petits fours et les zakouski succombèrent les premiers. Il restait le vin et le champagne. Julien était saturé de formules laudatives. Il redoutait les compliments, ne sachant jamais que répondre... « Sur le moment c'est pénible, se dit-il. Mais le lendemain quand on y repense, ça fait plaisir. »

Sophie, côté jardin, Carmen, côté cour, étaient entourées d'un groupe empressé de journalistes, d'admirateurs et d'amis. Carmen, la première, décida de partir. En passant devant Julien, elle l'embrassa.

— Merci, dit-elle, on te verra demain ?

— Non. Tu n'as plus besoin de moi.

— Merci... répéta-t-elle.

Elle se détourna brusquement et quitta le décor, suivie de quelques amis. Julien eut un pincement au cœur.

Son regard croisa celui de Sophie qui l'observait. Elle le sentit désemparé et lui fit signe de la rejoindre.

— Sans Julien, je n'aurais jamais écrit cette pièce, dit-elle au critique du journal *Combat* qui ne lui avait pas caché son admiration.

— Il vous enfermait pour écrire, comme Willy enfermait Colette ou Cocteau, Radiguet ?

— Je dirais plutôt qu'il m'a ouvert les portes et les fenêtres.

Un peu plus tard, quand le critique se fut éloigné, Sophie prit la main de Julien et la serra très fort. Elle retenait mal ses larmes.

— Ne t'y trompe pas, dit-elle, ce ne sont que larmes de vanité... Je ne suis pas encore faite aux applaudissements.

Elle porta la main de Julien à ses lèvres, embrassa furtivement les doigts.

— Je vais rentrer, dit-elle. Elisabeth est toujours proche de la syncope, passé minuit.

— Veux-tu que je vous raccompagne en taxi ?

— Non, Julien. Merci... Nous avons loué, ce soir, une voiture de maître. Le chauffeur m'aidera.

Elle se tourna vers sa mère :

— Nous pouvons partir, maman.

Julien regarda les deux femmes s'éloigner. Il pensa aux toits de l'Ile-Saint-Louis. Au carreau brisé. A la jeune fille désespérée qui se cachait sous les couvertures. Il se souvint du jour où, pour la première fois, il l'avait portée du lit au fauteuil roulant...

— Tu as jeté l'amour par les fenêtres, petit frère... Ce n'était pas sage.

Lola était derrière lui.

Elle lui passa un bras autour du cou et le fit pivoter pour lui présenter une jeune fille brune aux cheveux coupés court et d'une singulière beauté.

— Ludmila, ma meilleure amie préférée, dit Lola.

Ludmila plongea dans les yeux de Julien des yeux si clairs qu'ils semblaient délavés. Ils se serrèrent la main sans parler.

— Quand tu seras raisonnable et capable d'aimer une femme sans la faire souffrir, dit Lola, je t'inviterai à dîner avec Ludmila... Disons dans une vingtaine d'années ?

— J'aime souffrir, dit Ludmila en souriant. Ça aide à supporter la vie.

— J'ai dit vingt ans ! répéta Lola.

Elle entraîna son amie et, quelques pas plus loin, fit un clin d'œil à Julien et lui tira la langue.

Il ne put s'empêcher de sourire.

Il rejoignit André Solliès qui parlait près du buffet

317

avec Pierre Braunberger, le producteur récalcitrant du film sur la jeunesse d'après-guerre.

— Une mauvaise nouvelle pour toi, dit Solliès au jeune homme. Pierre, impressionné par les dix rappels, a finalement décidé que tu avais du talent. Il met le film en chantier. Tournage en juin. La récré est terminée, mon pauvre vieux. On te veut demain, à neuf heures, au bureau de la production.

— Juin ? dit Julien surpris. Je croyais que tu préparais ton film à Londres, pour Korda.

— J'aurais dû préciser... Tu vas tourner *Les lauriers sont coupés* comme metteur en scène. J'aurai, moi, le titre de superviseur technique.

Julien faillit sauter au cou d'André pour l'embrasser mais contrôla son élan. « Allons, pensa-t-il, de la tenue. On vient de m'apprendre que je ne suis plus un enfant. »

Il se tourna vers Braunberger :

— J'ai réfléchi longuement à votre proposition. J'accepte.

L'affaire fut scellée par un dernier verre de champagne.

— Veux-tu que je te raccompagne ? proposa Solliès.

— Merci, dit Julien. Je reste. J'ai besoin de penser. Je ne vais pas dormir beaucoup, cette nuit.

— Ça commence mal, bougonna le producteur.

André ébouriffa la frondaison soyeuse qui tenait lieu de coiffure au jeune homme.

— Pierre a engagé un metteur en scène, pas un insomniaque, dit-il. Neuf heures, et pas d'excuses !

Le plateau soupirait de l'asthmatique froissement des planches mal jointes. Le monde était parti. L'électricien de service éteignait les projecteurs, un à un.

Julien, accroupi sur un fauteuil, menton aux genoux, se laissa bercer d'obscurité.

« André a raison, pensa-t-il. La récréation est terminée. »

Il entendit la cloche.

Saint-Sulpice sonnait deux heures.

Cet ouvrage a été composé
par EDIT-PRESS,
61, rue du Fg-Poissonnière, à Paris
et imprimé sur CAMERON
par la SEPC à Saint-Amand-Montrond (Cher)
le 21 avril 1982

Cet ouvrage a été composé
par EDIT PRESS,
57, rue du Pré-Saint-Gervais, Paris
et imprimé sur CAMERON
par la SEPC (Société d'Édition et d'Impression) à Saint-Amand-Montrond (Cher)
le 2 août 1976.

Numéro d'édition : M 699
Numéro d'impression : 692
Dépôt légal : mai 1982